Königs Erläuterungen und Materialien
Band 162

Erläuterungen zu

Günter Grass

Katz und Maus

von Edgar Neis

C. Bange Verlag – Hollfeld

Herausgegeben von Klaus Bahners, Gerd Eversberg
und Reiner Poppe

8. Auflage 1995

ISBN 3-8044-0255-0

Druck: Tiskárny Vimperk, a. s.

INHALT

Materialien

GÜNTER GRASS: LEBEN UND WERK

Günter Grass wurde am 16. Oktober 1927 in Danzig als Kind deutsch-polnischer Eltern geboren. Notgedrungen Hitlerjunge, mußte er 1944 auch noch Soldat werden. 1946 kam er aus kurzer Kriegsgefangenschaft in die britische Zone. In den folgenden Jahren schlug er sich als Bergmann und Jazzmusiker durch und durchlief 1946–49 eine Steinmetz- und Steinbildhauerlehre. Er schrieb sich dann an der Kunstakademie in Düsseldorf ein und wurde 1952 Schüler des Bildhauers Karl Hartung in West-Berlin, wo er mit seiner Familie nach Pariser Jahren (1956–60) auch heute wieder lebt.

Erste Anerkennung als Schriftsteller brachte ihm 1955 der Hauptpreis bei einem Lyrikerwettbewerb des Stuttgarter Rundfunks. Sein erster Lyrikband „Die Vorzüge der Windhühner" erschien 1955/56. Dramatische Werke, die in jenen Jahren entstanden, als ihn ein monatliches Stipendium des Luchterhand-Verlags von 300,– DM über Wasser hielt, erhielten zwar teilweise gute Kritiken, doch fanden sie keinen Intendanten.

Als Grass Teile des noch unfertigen Romans „Die Blechtrommel" im Herbst 1958 auf einer Tagung der „Gruppe 47" vorlas, erhielt er ihren mit 3 000 DM dotierten Literaturpreis. Das Buch (59), in vielen Sprachen übersetzt, wurde ein Welterfolg, der Grass von materiellen Sorgen befreite. 1960 folgte ein neuer Gedichtband „Gleisdreieck", 1961 die Novelle „Katz und Maus" (verfilmt 66). Nach dem Erfolg der „Blechtrommel" war der Weg auch für Grass' dramatische Arbeiten geebnet. Nach kleineren Stücken wie „Hochwasser" (Uraufführung: Frankfurt am Main 57), „Onkel, Onkel" (Uraufführung: Köln 58), „Noch zehn Minuten bis Buffalo" (Uraufführung: Bochum, 59) und „Goldmäulchen" wurden 1961 „Die bösen Köche" als erstes abendfüllendes Stück im Werkstatt-Theater des Schillertheaters Berlin uraufgeführt. Ferner schrieb Grass die Farce „Zweiunddreißig Zähne".

Erhebliche Diskussionen erregte im Herbst 1963 auch das Buch „Hundejahre". Auf der einen Seite eine Fortsetzung jener Danzig-Saga („Blechtrommel"), auf der anderen die Spiegelung eines

Zeitbildes hat es Grass in diesem Werk unternommen, das für ihn Charakteristische von Mensch und Geschick, Zeit und historischer Evolution im Deutschland der Jahre zwischen 1920 und 1955 festzuhalten und auf seine Art zu deuten.

Zusammen mit Wolfgang Neuss und Uwe Johnson versuchte Grass als Mitarbeiter des „Spandauer Volksblatts" einen Durchbruch durch die Uniformität der Berliner Presse zu erkämpfen. Dieser gesellschaftspolitischen Aktion folgten Proteste in Ost und West, z. B. gegen die Notstandsgesetze, „autoritären Klerikalismus", „reaktionäre Bundespolitik" und die Unterdrückung der Freiheit in der DDR. In diese Linie paßte sein Theaterstück „Die Plebejer proben den Aufstand", das das Verhalten Brechts während des Berliner Aufstandes am 17.6.1953 zum Gegenstand hat.

Weitere Arbeiten von Grass waren sein dritter Lyrikband „Ausgefragt" (67), ein Band Reden, Aufsätze, Offene Briefe und Kommentare unter dem Titel „Über das Selbstverständliche" (68), ferner „Über meinen Lehrer Döblin und andere Vorträge" (68). Sein dritter großer Roman „Örtlich betäubt" (69) wurde vor allem in den USA ein Riesenerfolg. 1974 veröffentlichte Grass das „Tagebuch einer Schnecke", 1977 den Roman „Der Butt", 1979 die Erzählung „Das Treffen in Telgte", 1980 Kopfgeburten. Wie der „Butt" ist auch der 1986 erschienene Roman „Die Rättin" ein „riesiges imaginäres Panorama, eine monumentale Phantasmagorie". Sein Thema ist die Selbstvernichtung der Menschheit: „Wie einst (bei Jean Paul) der tote Christus vom Weltgebäude herab, spricht weithallend die Rättin vom Müllgebirge."

Grass ist Rundfunkrat-Mitglied des Senders Freies Berlin und Ehrendoktor der Kenyon-Universität in Ohio/USA. 1960 erhielt er den Literaturpreis des Verbandes der deutschen Kritiker, 1962 einen französischen Literaturpreis, 1965 den Georg-Büchner-Preis, 1968 den Fontane- und Theodor Heuss-Preis. 1976 Ehrendoktor der Hervard University/USA, 1982 Feltriuelli-Preis Rom.

Grass reiste 1951 nach Italien, 1955 nach Spanien, 1957 und 1959 nach Polen, 1961/62 zu Vorträgen nach Skandinavien und England. Jährlich seit 1964 (zuletzt März 70) las er in den USA aus seinen Arbeiten. 1973 reiste er nach Israel, 1975 und 1986 nach Indien, wo er bis 1987 in Vororten von Calcutta wohnte. Aus Indien brachte Grass 1987 sein Tagebuch „Zunge zeigen" mit, in dem er die abendländische Mitschuld an dem Elend der Bevölkerung Indiens festhielt.

DIE NOVELLE „KATZ UND MAUS"

GANG DER HANDLUNG

I

Mit einem gerade begonnenen, weiterführenden konjunktionalen Satz des Erzählers Pilenz, eines Mitschülers des Sekundaners Joachim Mahlke, führt uns die Geschichte in medias res: dem auf der Wiese neben dem Schlagballfeld des Stadions liegenden Mahlke setzen Pilenz und einige Mitschüler eine Katze an den Hals, die den stark hervortretenden Adamsapfel Mahlkes für eine Maus halten und anspringen soll. Mahlkes Adamsapfel fällt auf, weil er groß ist, immer in Bewegung und einen Schatten wirft. Tatsächlich springt auch die Katze Mahlke an die Gurgel, er kommt aber mit einigen Kratzwunden davon.

Erst vor kurzem hat Mahlke schwimmen gelernt. Bis zum Sommer 1940, in dem der oben erwähnte Vorgang sich ereignet, konnte er weder schwimmen noch radfahren, fiel überhaupt nicht auf und galt als ein etwas kränklicher Junge, der immer Atteste vorzeigte und deswegen auch vom Sportunterricht suspendiert war.

Eines Tages war es soweit. Mahlke hatte im Hallenbad Niederstadt und in der Badeanstalt Brösen, 4 km nördlich von Langfuhr, der nordwestlich von Danzig gelegenen Vorstadt, das Schwimmen geübt und sich freigeschwommen. Auch im Tauchen hatte er schon einige Übung erlangt. So bat er, als die anderen Jungen immer wieder zu einem vor der Küste auf Grund liegenden, abgesoffenen polnischen Minensuchboot „Rybitwa", das im ersten Kriegsjahr von den Deutschen erbeutet worden war, hinausschwammen, mitschwimmen zu dürfen. Seinen übergroßen Adamsapfel, der ihm beständig viel Spott einträgt, verbirgt er hinter einem unter die Gurgel gehängten Schraubenzieher, der von seinem „fatalen Knorpel" ablenken soll.

Als es Mahlke gelingt, aus dem abgesoffenen Minensuchboot nach zwei- oder dreimaligem Tauchen allerlei Gegenstände und Verschalungsteile, ja sogar ein Stück von einer Lichtmaschine und einen waschechten Minimax hochzubringen und mit dem noch brauchbaren Minimax die glasgrüne See mit Schaum zu löschen, steigt er gewaltig in der Achtung seiner Mitschüler und steht vom ersten Tag seines Mitschwimmens an „ganz groß" da. Während seine Kameraden auf dem Kahn — so nennen sie den Minensucher — dösen, steigt Mahlke unentwegt in die Tiefe und arbeitet unter Wasser. Einmal — er war ohne seinen Schraubenzieher am Hals hinuntergestiegen — brachte er einen stählernen Schraubenzieher aus einem Stück, ein engliches Fabrikat aus Sheffield, mit nach oben, den er von nun an anstelle des bisherigen trug.

Dieser Schraubenzieher ist jedoch nicht das einzige, das ihm am Halse hängt: außer ihm trägt er „ein silbernes Kettchen, dem etwas silbern Katholisches anhängt: die Jungfrau Maria." Dieses Amulett gewährt Mahlke bei seinen turnerischen Übungen und überhaupt immerwährenden Beistand.

Schließlich gelingt es ihm noch, aus dem polnischen Wrack eine handgroße Bronzeplatte des Marschalls Pilsudski und eine Silbermedaille mit dem Relief der berühmten Matka Boska Czestochowska, der Schwarzen Madonna von Tschenstochau, zu bergen. „Später, nachdem unser Direktor, Oberstudienrat Klohse, Mahlke verboten hatte, den polnischen Artikel offen und während des Unterrichtes am Hals zu tragen – Klohse war Amtsleiter, unterrichtete aber nur selten in Parteikluft – begnügte Joachim Mahlke sich mit dem altgewohnten kleinen Amulett und dem stählernen Schraubenzieher unter jenem Adamsapfel, der einer Katze als Maus gegolten hatte."

II

Der Erzähler, der zu Beginn des 2. Abschnitts Mahlke direkt anredet, berichtet, daß Mahlke in Langfuhr, Osterzeile 24, wohnt und gibt eine detaillierte Beschreibung seines Hauses und der Umgebung desselben. Er selbst, in der Westerzeile wohnhaft, besucht Mahlke öfters auf dessen Bude: einer Mansarde mit üblichem Jungenskrimskrams, unter dem ihm besonders eine ausgestopfte Schnee-Eule auffällt. Mahlkes Vater, ein Lokomotivführer, der 1934 bei dem Versuch, einen Eisenbahnunfall zu verhindern, ums Leben kam und nachträglich mit einer Tapferkeitsmedaille ausgezeichnet wurde, hat ihm diesen gut präparierten Vogel hinterlassen. Den Mittelpunkt der Bude bildet für Pilenz ein Grammophon, das Mahlke in mühsamer Kleinarbeit aus dem abgesoffenen Minensuchboot hochgeholt und wieder zusammengebastelt hat. An der Wand hängt ein ungerahmter Öldruck der Sixtinischen Madonna, zahlreiche Bücher, auch Religiöses, stehen auf einem Bord. In der Schule, so berichtet Pilenz, war Mahlke ein guter Schüler. „Er war, was seine Schulleistungen leicht abwertete, ein Jahr älter als wir, weil Mutter und Tante den als Kind schwächlichen, sie sagten, kränklichen Jungen, ein Jahr später auf die Volksschule geschickt hatten."

Auf verschiedene Weise sammelt er Beifall ein, sucht den Mitschülern zu helfen und seinen körperlichen Fehler durch Tarnung und persönliche Leistungssteigerung zu kompensieren. „Beifall tat ihm gut und besänftigte seinen Hüpfer am Hals; Beifall machte ihn gleichfalls verlegen und gab demselben Hüpfer neuen Auftrieb."

Besondere Bewunderung erregt er, als er einmal mehrere Konservendosen, französischen Ursprungs, aus der ehemaligen Kombüse des „Kahns" hochbringt, sie vor den Augen der Kameraden mit einem gleichfalls unten organisierten Büchsenöffner öffnet und die darin befindlichen Froschschenkel auffuttert, wobei er beim Kauen seinen Adamsapfel Klimmzüge machen läßt. Nach dieser demonstrativen Mahlzeit hängt er sich auch den Büchsenöffner um den Hals, der nunmehr neben der silbernen Madonna und dem schweren englischen Schraubenzieher vor seiner Gurgel baumelt.

Im Herbst 1940 wurde Mahlke, so berichtet Pilenz, obwohl er Jungzugführer war, aus dem Jungvolk geworfen und als einfaches Mitglied in die Hitlerjugend abgeschoben. Mahlke hatte als ostentativer Katholik sich geweigert, an Sonntagvormittagen Dienst anzusetzen. Während er in der Hitlerjugend kaum auffällt und untertauchen kann, festigt sich in der Schule und bei seinen „Kahnkameraden" sein legendärer Ruf.

III

„Womöglich lag alles nur an dem Knorpel." Mahlkes Adamsapfel war, so meint Pilenz, das Ding, das alles Weitere auslöste. Mahlke betete in Richtung Marienaltar. Der Gekreuzigte interessierte ihn nicht besonders, Mahlke hatte nur die Jungfrau Maria im Sinn.

Aus Mädchen machte er sich nichts. Sein Verhältnis zu Tulla Pokriefke zählte nicht. denn Tulla, dieses „Spirkel mit Strichbeinen", konnte man kaum als Mädchen bezeichnen. „Sie bestand aus Haut, Knochen und Neugierde." Bei den Jungen spielte sie die Rolle einer Antreiberin. Immer wieder stachelte sie die Jungen an, veranlaßt sie zu Entblößungen ihrer Geschlechtsteile und zu sexuellen „Wettbewerben". In einem solchen obszönen Wettbewerb bleibt Mahlke Sieger und steigt damit in der Achtung seiner Kameraden.

IV

Im Winter nach dem zweiten Kriegssommer, also im Winter 1941/42, setzt Mahlke die sogenannten „Puscheln“ in die Welt: tischtennisballgroße Wollbällchen, die man sich an einer geflochtenen Wollschnur um den Hals bindet und zwar derart, daß sich Bällchen neben Bällchen befindet und sie nach dem System einer Fliege den Hals zieren. Mahlke hatte diese Mode in Danzig-Langfuhr eingeführt, sie wurde vor allem in Gymnasiastenkreisen aufgenommen. Die Gymnasiasten trugen sie vorwiegend aus Protest, weil der Direktor des Gymnasiums, das Mahlke besuchte, Oberstudienrat Klohse, sie als weibisch bezeichnete und das Tragen innerhalb des Schulgeländes verbot.

In Wirklichkeit hat Mahlke natürlich diese Puscheln „erfunden“, um seinen Adamsapfel zu verbergen oder zumindest von ihm abzulenken. Auch ein grauer Wollschal, den eine übergroße dramatische Sicherheitsnadel zusammenhält, soll von seinem „Ding“ ablenken.

Im gleichen strengen und trockenen Winter arbeitet Mahlke auf dem eingefrorenen Minensuchboot, als Pilenz und Schilling mit zwei Cousinen über die zugefrorene See das Wrack erreichen. Mahlke versucht mit einem kleinen Beilchen, das Eis dort aufzuschlagen, wo er unter der Eisdecke die offene Luke zum Vorschiff vermutet.

Da ihm dies nicht recht gelingt, bittet er die Angekommenen um Hilfe: sie möchten ihr Wasser ablassen und mit warmem Urin das Eis auftauen. Voller Begeisterung sind die beiden Cousinen dazu bereit, und tatsächlich gelingt es Mahlke, an zwei Stellen Schächte zu bohren und Tiefe zu gewinnen.

Mahlke brauchte und hatte immer sein Publikum. Am folgenden Tag konnte Pilenz feststellen, daß unter dem aufgetauten, aufgehackten Eisloch wirklich die offene Luke zum Vorschiff lag.

V

Eines Tages, so berichtet Pilenz, stattete ein ehemaliger Schüler und Abiturient, jetzt Leutnant der Luftwaffe und „hochdekoriert mit dem begehrten Bonbon am Hals“ (dem Ritterkreuz), seiner alten Schule einen Besuch ab. Ein Klingelzeichen hatte die Schüler mitten im Unterricht in die Aula gerufen: in einer stockenden, sympathisch unbeholfenen, jungenhaften Art berichtete der Leutnant vom Einsatz an der Front, schilderte dramatische Luftkämpfe und würzte seinen Vortrag mit humorvollen Anekdötchen. Er beendete seinen Vortrag mit dem Bekenntnis: „Jungs, das sage ich Euch: wer draußen im Einsatz steht, denkt immer wieder gerne und oft an die Schulzeit zurück.“

Man quittierte seine Ausführungen mit Beifall, Gröhlen und Trampeln, nur Mahlke hielt sich zurück und blieb stumm.

Anschließend sprach der Direktor, Oberstudienrat Klohse. Seine Rede verbreitete Langeweile. Sein kühler Pfefferminzatem trug seine Worte knapp bis zur Mitte der Aula: „Jenedie nachunskommen – Undindieserstunde – Wandererkommstdu – Dochdiesmalwiederwirddieheimat – Undwollenwirnie – Setzetnichtlebenein niewirdeuchgewonnen sein – Undnunandiearbeit! usw. usw.“

VI

Ende Juni, noch vor den Sommerferien, brachte Mahlke, wie Pilenz berichtet, einen Untertertianer, der nicht mehr hochkommen wollte, aus dem Bugraum des Minensuchbootes empor. Unentwegt tauchte er in die Tiefe, blieb lange unten und machte dadurch alle fertig.

Als Mahlke minutenlang nicht mehr auftauchte, legte man sich schon die Worte für den Bademeister, für Mahlkes Mutter und für den Direktor zurecht und beriet, wie der Kranz zu bezahlen wäre. Noch während die Kameraden darüber diskutierten, tauchte

Mahlke mit triefendem Mittelscheitel auf, lachte und rief: „Na, habt ihr ne Rede verfaßt und mich schon abgemeldet?“

Bevor man zurückschwamm, stieg Mahlke noch einmal hinab, kam nach einer Viertelstunde wieder hoch und trug völlig unbeschädigte, kaum vergammelte Kopfhörer über beiden Ohren: er war in die ehemalige Funkerkabine des Minensuchbootes eingedrungen und hatte sie dort gefunden. Den Zugang zu dieser Funkerkabine hatte er gefunden, als er den Tertianer zwischen Rohren und Kabelbündeln loseiste. Und als ob alles das nichts wäre, sagte er: „Hab alles wieder hübsch getarnt. Den findet keine Sau. War aber ne Menge Arbeit. Gehört mir nun, die Bude, damit ihr Bescheid wißt. Ist ganz gemütlich. Könnte sich drin verkrümeln, wenn's mal brenzlich wird. Hat noch ne Menge Technik. Müßte man wieder in Betrieb nehmen. Mal versuchen gelegentlich.“ Natürlich wurde Mahlke von allen bewundert. In den folgenden Tagen begann er, die Funkerkabine als sein eigenes Domizil planmäßig häuslich einzurichten. Er schaffte Bücher und Decken, in Wachstuch verpackt, ferner Wachskerzen, einen Spirituskocher, Brennstoff, einen Aluminiumtopf, Tee, Haferflocken und Trockengemüse hinunter, alles so gut wie trocken; schließlich noch die farbige Reproduktion der Sixtinischen Madonna aus seiner Bude in der Osterzeile, um die Funkerkabine in ein Marienkapellchen zu verwandeln. Bestandteile des Minensuchbootes, die er zwei Jahre lang mit Mühe abmontiert und geborgen hatte, brachte er nun wieder an Ort und Stelle zurück; auch das Grammophon, das er im Sommer vierzig in mühevoller Kleinarbeit hochgeholt und zusammengebastelt hatte und das der musikalischen Unterhaltung der Gruppe gedient hatte, verstaute er zusammen mit einem Dutzend Schallplatten wieder unter Deck; bei dieser Arbeit konnte er es sich nicht verkneifen, die Grammophonkurbel am altbewährten Schnürsenkel um den Hals zu tragen.

Noch am gleichen Nachmittag, als er das Grammophon in der Funkerkabine geborgen hatte, überraschte er die Kameraden mit einer hohlen, aus dem Innern des Kahnes kommenden Musik, und setzte diese – ohne die Jungfrau tat Mahlke es nicht – mit dem berühmten Ave Maria fort. Schließlich schloß er die musikalische Darbietung mit etwas Aufregendem aus „Tosca", etwas Märchenhaftem von Humperdinck, einem Stück Symphonie mit Dadada Daaah (Beethovens Fünfter) und Zarah Leander-Liedern ab.

Bis die Platten hinüberwaren und nur gequältes Gurgeln und Kratzen dem Kasten entkam, veranstaltete Mahlke dieses Konzert; „bis zum heutigen Tage hat mir Musik keinen größeren Genuß verschaffen können", gesteht der Erzähler der Geschichte, Mahlkes Mitschüler Pilenz.

VII

„Das Auftreten des Kapitänleutnant zur See und hochdekorierten U-Boot-Kommandanten in der Aula unseres Real-Gymnasiums beendete die Konzerte im Innern des ehemaligen polnischen Minensuchbootes „Rybitwa".

Dieser Kapitänleutnant, der etwa vierunddreißig sein Abitur gemacht hatte, wurde zunächst von Oberstudienrat Klohse eingeführt, gelobt, gefeiert: „Einer von uns, aus unserer Mitte, aus dem Geist unseres Gymnasiums hervorgegangen, und in diesem Sinne wollen wir . . ."

Die Rede des Kapitänleutnants enthielt farblose Übersichten über die Stärke der U-Boote, der Flotte im allgemeinen, über technischen Marinekram, gab dann wortreiche lyrische Naturbeschreibungen der See und der Sonnenuntergänge, wagte einmal eine spannende Einlage, brachte weitere Naturbeschreibungen und verlor sich am Schluß ins Mystische.

Zuerst wollte Mahlke nicht mitgehen, als der Pedell die Schüler in die Aula rief. Als der Kaleu zu sprechen begann, zitterte er. Mit den Kniekehlen klemmte er seine Hände, den Blick starr auf das „Ding" (Ritterkreuz) am Hals des Kapitänleutnants gerichtet. In der anschließenden Turnstunde wurde den Schülern die Ehre zuteil, zusammen mit dem hochdekorierten Ritterkreuzträger turnen zu dürfen. Dieser hatte seinen ehemaligen Turnlehrer Studienrat Mallenbrandt darum gebeten. Er wollte den Sekundanern und Primanern zeigen, was er noch konnte, unter anderem die Riesenwelle am Reck mit gegrätschtem Abgang.

Als der Kaleu mit der Klasse Mahlkes ein Bodenturnen begann, tanzte Mahlkes Adamsapfel wie toll. Nachdem sich Mahlke bei einem Hechtsprung über sieben Mann den Fuß vertreten hatte, verdrückte er sich. Erst beim Korbballspiel gegen die Prima machte er wieder mit.

Am Schluß der Turnstunde traten alle Gymnasiasten an, um für den Kaleu noch ein Lied zu singen: „Imfrühtauzubergewirziehnfallera!" Und dann stellte es sich heraus: Das Ritterkreuz des Kapitänleutnants war verschwunden. Er hatte seine Kleidung wie die anderen im Umkleideraum der Turnhalle abgelegt, das Ritterkreuz war aber nicht mehr da. Auch Studienrat Mallenbrandts „Werwardas? Sollsichmelden!" brachte keine Klärung. Turnhalle und Umkleideraum wurden abgeschlossen und durchsucht. Teils belustigt, teils ungeduldig und verärgert suchte auch der Kaleu nach dem „Ding", dann resignierte er, knüpfte seinen Offiziersbinder, legte den Kragen um, tippte an die leere, zuvor hochdekorierte Stelle und sagte zu Mallenbrandt: „Das läßt sich ersetzen. Ist ja nicht die Welt, Herr Studienrat. Dummerjungenstreich!"

VIII

Auch die weiteren Untersuchungen führten zu keinem Ergebnis. Am Hals des Kapitänleutnants glänzte bald darauf, nachdem er die drei oder vier Ordensgeschäfte der Stadt abgeklappert hatte, ein neues Ritterkreuz. Unter den Jungen kursierten Gerüchte und Vermutungen. Sie blickten sich wortlos an und wollten damit sagen: „Klar doch, nur Mahlke, wer sonst? Doller Bursche." Dann hieß es: „Der Große Mahlke. Das hat, das kann nur, das tat der Große Mahlke." Von da an hieß er so: Der Große Mahlke.

Eines Sonntags, nach der Frühmesse, bei der Pilenz als Meßdiener fungierte und Mahlke wie üblich links außen kommunizierte, folgte Pilenz dem zum Minensuchboot hinausgeschwommenen Mahlke. Als Pilenz draußen ankam, saß Mahlke wie immer im Schatten des Kompaßhäuschens. Er sah komisch aus, weil er nichts an hatte. Als einziges Kleidungsstück hing ihm reglos der große, ganz große Bonbon, das Ritterkreuz, am Hals, eine Handbreite unterm Schlüsselbein. Mahlkes Adamsapfel hatte zum erstenmal ein genaues Gegengewicht gefunden.

„Na, Pilenz", sagte Mahlke, „ganz schöner Apparat, was?"

„Doll, laß mal anfassen."

„Ehrlich verdient — oder?"

„Hab ich mir gleich gedacht, daß Du das Ding gedreht hast."

Auf dem Heimweg versuchte Pilenz, der inzwischen Tulla Pokriefke und ihren Anhang unterrichtet hatte, Mahlke zu überreden, den Orden dem Kapitänleutnant direkt zu übergeben. Aber Mahlke hörte nicht. In stumpfwinkeligem Zickzack steuerte er, die Enden des Ordensbandes zwischen Daumen und Zeigefinger haltend, den Orden selbst wirbelnd und als Propeller und Antrieb benutzend, das Haus des Oberstudienrates Klohse an.

„Verfluchter Plan und verfluchte Ausführung!" simulierte Pilenz später. Hättest Du das Ding hoch in die Linden geschleudert: es gab ja in jenem, von Laubbäumen beschatteten Villenvierteln Elstern genug, die den Artikel an sich genommen, zum heimlichen Vorrat, zum silbernen Teelöffel, zum Ring und zur Brosche, zum großen Klimbim getragen hätten."

Am nächsten Montag fehlte Mahlke in der Schule. Man munkelte dies und das. Erst am Dienstag kam Oberstudienrat Klohse und verkündete, Unerhörtes habe sich zugetragen, und das in schicksalhaften Zeiten, da alle zusammenhalten müßten; der Übeltäter sei aber bereits von der Anstalt entfernt worden.

Joachim Mahlke war der Horst-Wessel-Oberschule zugewiesen worden. Im übrigen bewahrte man Schweigen und versuchte, den peinlichen Vorfall zu vergessen.

IX

Während der großen Ferien blieb Mahlke verschollen. Es hieß, er hätte sich in ein Wehrertüchtigungslager mit der Möglichkeit vormilitärischer Funkerausbildung gemeldet. Mahlkes Kameraden hockten lustlos auf dem Kahn, Hotten Sonntag, der sich zusammen mit Esch freiwillig zur Luftwaffe gemeldet hatte, später aber, genau wie Pilenz, zu den Panzergrenadieren, einer besseren Sorte Infanterie, kam, versuchte vergeblich, den Zugang zur Funkerkabine zu finden. Tulla Pokriefke fehlte auf dem Kahn, der zusehends seinen Glanz verlor, auf jenem Kahn, der vor Beginn der Sommerferien zweiundvierzig seinen großen Tag erleben durfte, nun aber seine flaue Zeit, weil Mahlke fehlte, der Große Mahlke! „Kein Sommer ohne Mahlke!"

Und doch war Pilenz froh, der beständigen Abhängigkeit von Mahlke entronnen zu sein. Den Tod seines Bruders Klaus, der als Unteroffizier am Kuban gefallen war, gab Pilenz als Grund für den Wunsch erneuten Ministrierens vor dem Altar an; Hochwürden Gusewski gab sich Mühe, ihm zu glauben; in Wirklichkeit war der Grund wohl Mahlke, den Pilenz in der Sonntagsmesse zu sehen hoffte. Und tatsächlich, als er zum erstenmal nach den großen Sommerferien während der Frühmesse vor dem Altar diente, sah er ihn wieder — in der zweiten Bank vor dem Marienaltar. Mahlke war ohne jede Halszierde erschienen; „einziges Wappentier auf freiem Felde war jene unruhige Maus, die einst die Katze angelockt und Pilenz verlockt hatte, ihm die Katze an den Hals zu setzen."

Gebärdenreich trug Mahlke einen übergroßen Glaubenseifer zur Schau. Vor dem Marienaltar begann er niederzuknien, die Hände über seinen Kopf zu der Marienfigur emporzustrecken, so daß sogar Hochwürden Gusewski später sagte, Mahlkes Marienkult grenze an heidnischen Götzendienst.

Vor dem Sakristeiausgang wartete Mahlke auf Pilenz. Er erklärte, sich freiwillig gemeldet zu haben, zu den U-Booten natürlich. Obwohl er lieber etwas Zweckmäßiges tun würde oder was Komisches, er habe ja einmal Clown werden wollen.

Mahlke machte Pilenz zum eifrigsten Meßdiener. Bis in die Adventszeit hinein mußte Pilenz alleine dienen, Mahlke kniete am zweiten wie am dritten Advent vor der Gottesmutter. Endlich, am dritten Advent, entschloß sich Pilenz, einer Einladung Mahlkes zu folgen und ihn in seinem Elternhaus zu besuchen.
Mahlke öffnete ihm, führte ihn ins Wohnzimmer, wo Pilenz mit Mahlkes Tante und Mutter zusammentraf. Allgemeines Gespräch über den Krieg, über die Frontlage, über versenkte japanische und amerikanische Flugzeugträger. In Richtung Horst-Wessel-Oberschule fiel kein Wort, dafür erwähnte Mahlke lachend seine früheren Halsgeschichten und brachte das Katzenmärchen zum Vortrag.

X

Pater Alban war es, der Pilenz ermuntert hatte, die Geschichte von Katz und Maus aufzuschreiben: „Setzen Sie sich einfach hin, lieber Pilenz, und schreiben Sie drauflos. Sie verfügen doch, so kafkaesk sich Ihre ersten poetischen Versuche und Kurzgeschichten lasen, über eine eigenwillige Feder: schreiben Sie sich frei — der Herrgott versah Sie nicht ohne Bedacht mit Talenten."
Zu Beginn des Jahres 1943 wird Pilenz Luftwaffenhelfer. Er kommt zur Strandbatterie Brösen-Glettkau, wo er zusammen mit anderen Schülern der Horst-Wessel-Oberschule ausgebildet wird. Im Februar dieses Jahres besucht Pilenz seinen Klassenkameraden Esch im Luftwaffenlazarett Oliva bei Danzig. Auf dem Rückweg zur Straßenbahnhaltestelle nach Glettkau, macht er einen Umweg durch den Schloßgarten und steuert dann auf die Zoppoter Chaussee zu: dort stößt er auf Mahlke. Beide sind verlegen. Mahlke trägt einen Arbeitsdiensthut, ein „Unikum an Häßlichkeit"; er bedeckt sein Haupt besonders peinlich. Mahlkes Oberfeldmeister hatte ihn nach Oliva wegen irgendwelcher Ersatzteile auf Dienstreise geschickt; nach einigen unpersönlichen Worten über die Partisanenkämpfe im Gebiet der Tucheler Heide, über die Verpflegung beim Arbeitsdienst und über die Arbeitsdienstmaiden trennen sich beide wieder.

Über ein Jahr lang traf Pilenz nicht mehr mit Mahlke zusammen. Einmal begegnete ihm Ecke Bärenweg Osterzeile Mahlkes Tante, zeigte ihm einen Feldpostbrief ihres Neffen, in dem dieser von Kämpfen mit russischen Panzern T 34 berichtete, von denen Mahlke einige abgeschossen hatte. Jedenfalls hatte er dreizehn vierzehn T 34 hingekritzelt und mit Blaustift durchgestrichen. Was konnte dies anderes heißen, als daß er sie erledigt hatte?

XI

Dann wurde Pilenz zum Arbeitsdienst einberufen, über Berent fuhr er nach Konitz und hatte dann drei Monate Gelegenheit, zwischen Osche und Reetz die Tucheler Heide kennenzulernen. Dort kursierten immer noch faustdicke Geschichten über einen Arbeitsdienstmann Mahlke, der ein gutes Jahr zuvor in der Abteilung Tuchel-Nord Dienst getan und tolle Dinge gedreht hatte: heldenkühner Einsatz auf eigene Faust, Aushebung von Partisanennestern und Waffenmagazinen. Soll sogar einen Orden bekommen haben, den sie ihm zum Barras nachgeschickt haben. Mahlke habe zu den Panzern wollen, niemand wußte, ob er genommen worden war.

Immer neue Gerüchte über Mahlke, man munkelte dies und das. Ein Brief von ihm an die Frau seines ehemaligen Chefs soll eingegangen sein, eine Anfrage von ganz oben liege vor und dergleichen mehr.

Zwei Tage später wurden die Gerüchte offiziell bestätigt. Der Abteilung wurde beim Morgenappell mitgeteilt: „Ein ehemaliger Arbeitsdienstmann der Abteilung Tuchel-Nord hat zuerst als einfacher Richtschütze, dann als Unteroffizier und Panzerkommandant in pausenlosem Einsatz und an strategisch wichtiger Stelle soundsoviel russische Panzer, darüber hinaus und so weiter und so weiter . . ."

Zudem schickte Pilenz' Mutter ihrem Sohn einen Zeitungsausschnitt des „Vorposten", in dem zu lesen war: „Ein Sohn unserer

Stadt hat in pausenlosem Einsatz, zuerst als einfacher Richtschütze, dann als Panzerkommandant und so weiter und so weiter ..."

XII

Pilenz als Fronturlauber: Tuchel blieb zurück, dann Karthaus, in der Leitstelle, in der Straßenbahn nach Langfuhr beginnt er widersinnig, aber versessen nach Mahlke zu suchen, steigt dann in der Nähe des alten Gymnasiums, an der Haltestelle Sportpalast aus. Den Pappkarton gibt er beim Pedell ab, durchwandert die Schule, die Gänge sind leer, überall ist Unterricht, dauernd denkt er an Mahlke, der eigentlich Clown werden wollte.

Und da stand er tatsächlich, zwischen Sekretariat und Direktorzimmer, der Große Mahlke ohne Maus: „denn er hatte den besonderen Artikel am Hals, das Dingslamdei, den Magneten, das Gegenteil einer Zwiebel, galvanisierten Vierklee, des guten alten Schinkel Ausgeburt, den Bonbon, Apparat, das Ding Ding Ding, das Ichsprechesnichtaus."

Die Maus schlief. Dann folgender Dialog zwischen Pilenz und Mahlke:

Erster Scherzversuch: „Tag, Unteroffizier Mahlke!"
Der Scherz mißlang: „Warte hier auf Klohse. Gibt irgendwo Mathematik."

„Na, der wird sich freuen."

„Will wegen des Vortrages mit ihm sprechen."

„Warst Du schon in der Aula?"

„Mein Vortrag ist ausgearbeitet, Wort für Wort."

„Hast Du die Putzfrauen gesehen? Die seifen schon die Bänke ab."

„Werde nachher mit Klohse kurz hineinschauen und die Anordnung der Stühle auf dem Podest besprechen."

„Der wird sich freuen."

„Werde mich dafür einsetzen, daß der Vortrag nur für Schüler von der Untertertia aufwärts gehalten werden soll."

„Weiß Klohse denn, daß Du hier wartest?"

„Fräulein Hersching vom Sekretariat hat es ihm gemeldet."

„Na, der wird sich freuen."

„Werde einen sehr kurzen aber konzentrierten Vortrag halten."

„ja Mensch, erzähl doch, wie haste das hinbekommen, und in so kurzer Zeit?"

„Mein lieber Pilenz, Geduld, sag ich: in meinem Vortrag werden so ziemlich alle Probleme, die mit der Verleihung zusammenhängen, berührt und behandelt werden."

„Na, da wird sich Klohse aber freuen."

„Ich werde ihn ersuchen, mich weder einzuführen noch vorzustellen."

„Soll Mallenbrandt etwa?"

„Der Pedell kann den Vortrag ankünden und basta."

„Na, der wird sich . . ."

Das Klingelzeichen sprang von Stockwerk zu Stockwerk und beendete die Unterrichtsstunden in allen Klassenzimmern des Gymnasiums. Jetzt erst öffnete Mahlke beide Augen ganz. Wenige Wimpern standen kurz ab. Seine Haltung sollte lässig wirken – aber er stand sprungbereit. Ich drehte mich, vom Rücken her beunruhigt, halb zum Glaskasten: war keine graue Katze, mehr eine schwarze Katze, die auf weißen Pfoten immerfort in unsere Richtung schlich und ein weißes Lätzchen zeigte. Ausgestopfte Katzen vermögen echter zu schleichen als lebendige Katzen. Auf gestelltem Pappschildchen stand in Schönschrift geschrieben: Die Hauskatze. Ich sagte zum Fenster hin, weil es nach dem Klingeln zu still wurde, auch weil die Maus erwachte und die Katze mehr und mehr Bedeutung bekam, etwas Scherzhaftes und noch etwas

Scherzhaftes, und etwas über seine Mutter und seine Tante, sprach, um ihn zu stärken, von seinem Vater, von seines Vaters Lokomotive, von seines Vaters Tod bei Dirschau und seines Vaters posthum verliehener Tapferkeitsmedaille: „Na, Dein Vater, wenn der noch leben würde, der würde sich bestimmt freuen."

Dann erschien Oberstudienrat Waldemar Klohse. „Sehen Sie, Mahlke, nun haben Sie es doch geschafft ... Gewiß werden Sie nicht versäumen, Ihren ehemaligen Mitschülern einen kleinen Vortrag zu halten, der geeignet wäre, den Glauben an unsere Waffen zu stärken. Waren Sie schon in der Horst-Wessel-Oberschule? Darf ich Sie auf eine Minute in mein Zimmer bitten?" Klohse lehnte einen Vortrag Mahlkes für seine Schule ab. Pilenz versuchte sich für Mahlke zu verwenden, es war umsonst. Er sprach nicht nur mit Klohse, nein auch mit Hochwürden Gusewski, mit Tulla Pokriefke, mit seinem ehemaligen Jungbannführer. Auf jede Weise versuchte Pilenz einen Saal, einen Raum, eine Zuhörerschaft zu organisieren, Mahlke hörte sich alle Vorschläge ruhig, stellenweise lächelnd an, aber er kannte nur ein Ziel: die Aula unserer Schule. Klohse tat noch ein übriges, berief sogar eine Konferenz ein, doch auch diese Konferenz beschloß – sogar in Übereinstimmung mit der Horst-Wessel-Oberschule! –, die Ordnung der Anstalt verlange, daß Mahlke, weil einmal das und das passiert sei, nicht vor der Schülerschaft offiziell auftreten dürfe, selbst wenn man der Affäre keine besondere Bedeutung beimesse und der Fall schon länger zurückliege usw. usw.

Mahlke, der große Mahlke, war abgewiesen worden. Er, der Ritterkreuzträger, durfte vor seiner Schule nicht sprechen. Tagsüber untätig, kämmte er nachts die Baumbachallee ab, in der Oberstudienrat Klohse wohnte. Nach vier durchlauerten Nächten lief dieser Mahlke in die Arme: als er die Baumbachallee hochkam, ließ der Große Mahlke seine linke Hand ausfahren, packte Klohses Hemdkragen mit der zivilen Krawatte, drückte seinen ehemaligen Direktor gegen einen kunstgeschmiedeten Eisenzaun und schlug wortlos, links rechts, links rechts mit Handrücken und Handfläche in des Oberstudienrats glattrasiertes Gesicht. Dann ließ er Klohse, das verkörperte Gymnasium Conradinum, das

Conradischen Geist atmete, stehen und schritt mit seinen Knobelbechern davon ...

Zusammen mit Pilenz streunte er noch durch die Nacht, sprach über das Leben nach dem Tode, daß er nicht an Gott glaube, nur an die Jungfrau Maria, weswegen er auch nicht heiraten werde, und antwortete auf die Frage, wie lange er eigentlich noch Urlaub habe: „Mein Zug fuhr vor viereinhalb Stunden und wird jetzt wohl schon vor Modlin sein."

XIII

Mahlke kommunizierte. Bevor sich das „Herrichbinnichtwürdigdaßdueingehstuntermeindach" dreimal wiederholt hatte, kniete er vor Hochwürden Gusewski und ließ sich von ihm die Hostie auf die Zunge laden. Dem Schlucken gehorchte auch der eiserne Artikel an Mahlkes Hals, jenes Ding, das das kindliche Kritzeln und Durchstreichen so vieler russischer Panzer belohnt hatte.
Gestärkt verließ Mahlke die Marienkapelle. Das Schwarz der Panzerjacke erhöhte die Bleiche seines Gesichtes. Pilenz folgte ihm, drängte ihn zur Abreise: „Laß Dir was einfallen wegen Urlaubsüberschreiten. Die werden nicht gleich beißen. Kannst ja sagen, mit Deiner Tante oder Mutter war irgend was los."

Mahlke konterte: „War doll gestern mit der kleinen Pokriefke. Also ehrlich gesagt: Wegen der will ich nicht mehr raus. Hab schließlich mein Teil erledigt..."

Er wollte mit ihr unbedingt was gehabt haben. Wollte nicht mehr raus, wollte bleiben, irgendwo unterkriechen, sich verstecken. In der Osterzeile – unmöglich, da würde man ihn gleich finden; in Pilenz' Keller? Damit wollte Pilenz nichts zu tun haben. Bei Pokriefkes im Holzschuppen der Tischlerei? Vielleicht. Oder auf dem Kahn. Das Stichwort war gefallen. Zwar sagte Mahlke noch: „Bei dem Sauwetter?", aber trotzdem war er entschlossen, auf dem Kahn zu bleiben. Pilenz riet ihm, Proviant mitzunehmen, wollte ihn selbst besorgen.

Mahlkes Tante stiftete zwei Kilobüchsen Schmalzfleisch. Pilenz erzählte ihr etwas von einer kleinen Feier für Mahlke. Dann nahm er den Weg zurück zu Mahlke, der immer noch an der gleichen Stelle im Regen wartend stand und unreife Stachelbeeren vertilgte. Endlich waren sie am Strand. Die Kulissen des Kahns weit draußen. Mahlke stöhnte: „Ich kann nicht schwimmen. Wirklich, ich hab Bauchschmerzen. Die verdammten Stachelbeeren."

Pilenz organisierte ein Boot. Als er es auf den Strand auflaufen ließ, lag Mahlke im Sand, wälzte sich und drückte sich beide Fäuste in die Magengrube. Pilenz setzte ihn ans Heck, gab ihm das Netz mit den Schmalzfleischdosen und einen Büchsenöffner. Mahlke hielt sich am Büchsenöffner fest. So ruderten sie dem Kahn entgegen . . .

Bevor sie anlegten, saß Mahlke locker am Heck, klagte nicht mehr über Bauchschmerzen, holte den großen Bonbon aus der Gesäßtasche und klebte ihn sich unter den Adamsapfel . . . Pilenz erklärte, das Boot nur für eineinhalb Stunden geliehen bekommen zu haben; Mahlke nahm es zur Kenntnis und bat ihn, nochmals abends gegen neun hier anzulegen. Dann begann Mahlke mit den Vorbereitungen zum Hinabsteigen in seinen Funkerraum, zog sich aus, hatte die Uniform sorgfältig zusammengelegt und hinter dem Kompaßhäuschen, seinem angestammten Platz, verstaut. „Wie vorm Schlafengehen standen die Knobelbecher." Dann stand er in jenen roten Turnhosen da, die ein Stück Tradition des Gymnasiums Conradinum bedeuteten. Er prüfte das Wasser, fand es gar nicht so kalt, suchte mit den Füßen den Lukenrand, ein Fuß stieß ins Leere, Wasser über der Luke gurgelte . . .

Pilenz und der Büchsenöffner blieben zurück. Pilenz wartete, ließ fast sechzig Sekunden verstreichen, dann nochmals dreißig Sekunden, lauschte auf Klopfsignale, fing an, mit seinen Absätzen das Brückendeck zu bearbeiten, schrie: „Komm wieder rauf, Mensch! Du hast den Büchsenöffner oben gelassen, den Büchsenöffner . . ."

Nichts rührte sich. Bevor Pilenz zurückruderte, warf er den Büchsenöffner weg, dann lieferte er das Boot ab, kam zu Hause gerade zum Mittagessen zurück, fand einen Brief vom Wehrbezirkskommando vor, den Einberufungsbefehl, der die Mutter zum Weinen veranlaßte, holte sich Vaters Feldstecher, fuhr am nächsten Morgen nach Brösen, stellte sich auf die höchste Stufe des Kriegerdenkmals auf den Strandwalldünen, suchte den Horizont ab, den Kahn, über dem die Möwen kreisten und auf dem deutlich zu sehen zwei Knobelbecher standen ...

War ein Zirkus in der Stadt, fragte Pilenz nach einem Clown namens Mahlke, aber niemand hatte von einem Kollegen Mahlke etwas gehört. Beim Treffen der Ritterkreuzträger im Oktober neunundfünfzig, der wenigen Übriggebliebenen, ließ er Unteroffizier Mahlke vom Musikpodium während einer Pause ausrufen: Mahlke tauchte aber nicht mehr auf.

CHARAKTERISTIK DER HAUPTPERSONEN

Joachim Mahlke

Der Sekundaner Joachim Mahlke aus der Osterzeile in Danzig-Langfuhr ist kurz nach Kriegsbeginn im September 1939 vierzehn Jahre alt geworden. Als ein schmächtiger, etwas kränklicher Junge ist er in der Schule vom Turnen dispensiert. Er kann weder schwimmen noch radfahren, ist ein wenig eigenbrötlerisch, steif und unbeholfen und liebt es, in keiner Weise aufzufallen.

Während der Wintersaison meldet er sich im Hallenbad Niederstadt zum Schwimmen, wird aber vorerst nur zum Trockenschwimmen mit Acht- und Zehnjährigen zugelassen. Im folgenden Sommer wird er vom Bademeister der Anstalt Brösen zunächst im Sand gedrillt, dann an die Angel genommen. Als er jedoch von seinen Kameraden Wunderdinge von einem abgesoffenen polnischen Minensuchboot hört, das etwa fünfunddreißig Schwimmminuten von Brösen entfernt draußen in See lag, schafft er es innerhalb von zwei Wochen, sich freizuschwimmen.

Mit seinen hochrot abstehenden Ohren und seitlich verbogenen, auf- und untertauchenden Knien gibt Mahlke immer eine komische

Figur ab. Das Übel aber, das ihn am meisten bedrängt und das an seiner ganzen Verklemmung schuld ist, ist das anomale Wachstum seines Adamsapfels, der sich zu einem nicht mehr zu übersehenden, außerordentlich störend wirkenden Riesenknorpel herausbildet, den Mahlke auf jede nur mögliche Weise zunächst zu verdecken, später durch außerordentliche, besondere Leistungen zu kompensieren sucht.

Wird Mahlke als dünner, spilleriger Schüler von seinen Kameraden schon oft gehänselt und „Suppenhuhn" genannt, so treibt ihn die abnorme Größe und Auffälligkeit seines Adamsapfels in eine Zwangsneurose hinein. Alles, was Mahlke denkt und tut, geschieht unter dem Aspekt der Tarnung dieses vermeintlichen körperlichen Defekts. Um von dem Knorpel, der bei Schluckbewegungen hüpft, Sprünge macht, wie ein „Fahrstuhl" auf- und abfährt, abzulenken, hängt sich Mahlke die sonderbarsten Dinge um den Hals: einen Schraubenzieher, ein silbernes Kettchen mit einem Amulett, einen schweren englischen Schraubenzieher, einen Büchsenöffner, eine Medaille mit der schwarzen Mutter Gottes von Tschenstochau, Leuchtplaketten, eine Grammophonkurbel, Wollpuscheln, einen Wollschal mit einer riesigen Sicherheitsnadel, einen Schlips, das gestohlene Ritterkreuz und das selbst erworbene Ritterkreuz.

„Schön war Mahlke nicht. Er hätte sich seinen Adamsapfel reparieren lassen sollen. Womöglich lag alles nur an dem Knorpel ... Alles, vom Tauchen bis zu den späteren, mehr militärischen Leistungen ... hat er getan, um von seinem Adamsapfel abzulenken."

Als Mahlke neun Jahre alt war, verunglückte sein Vater, der bei einem Zugunglück in der Nähe von Dirschau unter Einsatz und Opferung seines Lebens das Schlimmste verhütet hatte. Seinem Vater wurde nachträglich eine Rettungsmedaille verliehen. Der Tod seines Vaters mag aber dazu beigetragen haben, Mahlke schon früh in einen religiösen Mystizismus hineinzutreiben. Obwohl Katholik, glaubt er nicht an Gott, der Absurdes in der Welt geschehen läßt. „Natürlich glaube ich nicht an Gott. Der übliche Schwindel, das Volk zu verdummen. Die einzige, an die ich glaube, ist die Jungfrau Maria." Mahlkes Marienglaube äußert sich in einer schwärmerischen und leidenschaftlichen Art. Ja, er übersteigert seinen Marienkult derart, übt ihn so exzentrisch aus, daß selbst Hochwürden Gusewski äußerst bestürzt ist: „Auch Hochwürden Gusewski waren Einzelheiten Mahlkes neuer Moden aufgefallen ... Gleich nach der Messe begann er von Mahlkes übergroßem Glaubenseifer, von gefährlichen Äußerlichkeiten ... zu sprechen. Mahlkes Marienkult grenze, so sagte er, an heidnischen Götzendienst, welch innere Not ihn auch immer vor den Altar führen möge."

Mahlke ist ein eifriger Kirchgänger und Kommunikant. Keine Messe versäumt er. „Der hat 'nen Tick, sag ich. Vielleicht hängt das mit dem Tod von seinem Vater zusammen. Ewig rennt er beten."

Mahlke trägt nicht nur an einem silbernen Kettchen eine kleine silberne Jungfrau Maria am Hals, die, wenn er seine siebenunddreißig Kniewellen am Reck herunterwirbelt, gleichfalls siebenunddreißigmal durch die Luft saust, was übrigens Studienrat Mallenbrandt, der Turnlehrer, nie beanstandet, weil er außer Leibeserziehung auch Religion unterrichtet; Mahlke trägt auch die Medaille mit der schwarzen Mutter Gottes von Tschenstochau am Hals; seine Bude auf der Osterzeile schmückt ein ungerahmter Öldruck der Sixtinischen Madonna; Höhepunkt seiner Marienverehrung ist aber die unter Wasser liegende Funkerkabine in dem abgesoffenen polnischen Minensuchboot „Rybitwa", die er sich in ein persönliches, nur von ihm zu betretendes Refugium und Heiligtum, in eine Marienkapelle umgewandelt hat. In dieser „Kapelle" hält er Zwiesprache mit der Jungfrau, ringt um ihre Gnade und glaubt an die erlösende Kraft der Gottesmutter. Von dort läßt er für seine Kameraden oben auf Deck das berühmte „Ave Maria" auf dem Grammophon erklingen: „Ohne die Jungfrau tat es Mahlke nicht."

„Mit Mädchen war nicht viel los bei ihm." Er macht sich nichts aus ihnen, auch nicht aus Tulla Pokriefke. „Eigentlich gab es für Mahlke, wenn schon Frau, nur die katholische Jungfrau Maria. Nur ihretwegen hat er alles, was sich am Hals tragen und zeigen ließ, in die Marienkirche geschleppt" und später in seine „Marienkapelle" unten im Minensuchboot hinuntergeholt. „Einzige ist Maria", erklärt Mahlke noch kurz vor seinem endgültigen Hinabtauchen und Verschwinden. „Werde nicht heiraten."

Pilenz sagt zu ihm: „Mit Tulla Pokriefke solltest Du es mal versuchen."

Mahlke gequält: „Hast doch gehört, daß ich nicht heiraten werde."
Pilenz: „Das würde Dich auf andere Gedanken bringen."

Mahlke: „Und wer bringt mich danach wieder auf andere Gedanken?"

Pilenz versucht zu scherzen: „Die Jungfrau Maria natürlich."
Mahlke hat Bedenken: „Und wenn sie beleidigt ist?"

Diese Äußerung zeigt, wie real, wie existent die Jungfrau Maria für Mahlke ist, sie ist ihm ein Wesen aus Fleisch und Blut.

Aus religiösen Gründen, um nicht die Messe zu versäumen, weigert sich Mahlke, sonntags im „Jungvolk" Dienst zu tun und seinen Jungzug zur Morgenfeier in den Jäschkentaler Wald zu führen. In der Klasse wird er von seinen Kameraden deswegen bewundert. Als unbotmäßiger Jungzugführer wird Mahlke in die Hitlerjugend abgeschoben; dort schwänzt er auch weiterhin an den Sonntagvormittagen den Dienst; aber in der Hitlerjugend, in der Jugendliche vom vierzehnten Lebensjahr an aufgenommen wurden, fällt sein Fehlen nicht auf, weil die Hitlerjugend lascher geführt wurde als das Jungvolk und ein schlapper Verein war, in dem Leute wie Mahlke gut untertauchen konnten.

In politischer Hinsicht ist Mahlke indifferent; aktiv beteiligt er sich nur an bestimmten Sonderaktionen, zum Beispiel bei Altmaterialsammlungen oder bei Sammlungen für das Winterhilfswerk. An den kriegerischen Ereignissen der Zeit nimmt er verhältnismäßig wenig Anteil; dagegen interessieren ihn wie alle Jungen seiner Gruppe die Flottenmanöver, die Zusammensetzung und Stärke der deutschen und ausländischen Marineeinheiten und bestimmte seemännische Heldentaten, wie zum Beispiel die Versenkung der deutschen Flotte bei Scapa Flow am Ende des ersten Weltkrieges, die Heldentat des Kapitänleutnants Prien oder die Versenkung des Schlachtschiffes „Gneisenau" vor der Hafeneinfahrt von Gdingen im Februar fünfundvierzig.

Mahlke kann nicht nur die Namen aller deutschen, polnischen und japanischen U-Boote, Zerstörer und Schlachtschiffe samt Angaben über ihre Tonnage und Bestückung herunterschnurren, sondern verfügt auch sonst über beachtliche nautische Kenntnisse.

Mahlke braucht immer Publikum. Er will immer zeigen, daß er etwas Besonderes ist, daß er etwas Besonderes tun kann. Er bringt es zu einer großen Meisterschaft im Schwimmen, im Tauchen, im Auffinden seltsamer Gegenstände. Immer versucht er sich durchzusetzen, erst in seiner Gruppe, dann den Erwachsenen gegenüber. Er will etwas tun, was ihm keiner so leicht nachmachen kann: daher der Diebstahl des Ritterkreuzes, der für ihn ein Akt der Selbstbefriedigung, der Selbstbestätigung, der inneren Rechtfertigung der anmaßenden Erwachsenenwelt gegenüber ist. Mahlke kostet seinen Triumph voll aus:

„Na, Pilenz! Ganz schöner Apparat, was?"

„Doll, laß mal anfassen."

„Ehrlich verdient – oder?"

„Hab ich mir gleich gedacht, daß Du das Ding gedreht hast."

„Nix gedreht! Ist mir gestern verliehen worden, weil ich aus dem Geleitzug auf der Murmanskroute fünf Pötte und obendrein einen Kreuzer der Southampton-Klasse ..." Wir verfielen der Albernheit, wollten uns gute Laune beweisen, grölten alle Strophen des Englandliedes, erfanden neue Strophen, deren Wortlaut zufolge aber keine Tanker und Truppentransporter, sondern bestimmte Mädchen und Lehrerinnen der Gudrun-Oberschule mittschiffs angebohrt wurden, ließen Sondermeldungen mit teils säuischen, teils bombastischen Versenkungsziffern durch hohle Hände schnarren, trommelten mit Fäusten und Hacken das Brückendeck ... Zwar hüpfte das Ding, aber nicht weil die Gurgel, nein weil der ganze Mahlke lebendig und zum erstenmal ein bißchen albern war, keine Erlösermiene, schnappte vielmehr über, nahm sich den

Artikel vom Hals, hielt mit gezierten Gesten die Bandenden über den Hüftknochen und ließ den großen Metallbonbon vor seinen Klöten und dem Schwanz baumeln: aber der Orden vermochte nur knapp ein Drittel seiner Geschlechtsteile zu verdecken."

Dieses kindische Gehabe Mahlkes gleicht den Tänzen der Primitiven, der Indianer oder Neger, die auf diese Weise ihrem Siegesrausch und Triumphgefühl Ausdruck geben.

Als Mahlke später sein eigenes, selbst erworbenes Ritterkreuz zur Schau stellen und sich in seinem Eigenwert vor der in der Aula versammelten Schüler- und Lehrerschaft seiner Schule, die ihn verwiesen hat, bestätigt wissen will, seine gesellschaftliche Rehabilitation erstrebt, seine frühere Ächtung annulieren und seinem bisherigen Ausnahmezustand ein Ende setzen will, bleibt ihm der Triumph versagt. „Die Katharsis als Abreaktion seit langem gestauter Gefühle und unbewußter Affekte wird ihm verwehrt. Seine offensichtliche Fehlspekulation entmutigt und demoralisiert ihn völlig, seine jahrelange „Ichaufbauschung" bricht plötzlich zusammen. Die alte Generation bleibt hart und unversöhnlich, die „ewige Katze" erlegt die Maus schließlich doch noch. Mahlke wird fahnenflüchtig — aber nicht aus politischen Gründen. Seine geheime Marienkapelle wird schließlich seine Totenkapelle. Der Tod ist ihm eine Befreiung, eine Selbstbefreiung durch einen Sprung aus dem Dasein, der alle Wirren löst, mit denen der Jugendliche nicht fertig wird. Sicherlich liegt hier ein schizoider Suizid vor." (Hans Lucke).

Mahlke ist ein Mensch mit seinem Widerspruch. Er, der Scheue, Gehemmte, Zurückhaltende, der Eigenbrötler und Einzelgänger braucht immer das große Publikum. Er, der anfängliche Nicht-Schwimmer, durch ärztliches Attest vom Turnen Befreite erzwingt sich durch sportliche Höchstleistungen die Achtung seiner Kameraden. Er, der sich nicht an dem sexuellen Treiben, an den „Sauereien" seiner Kameraden beteiligt, der eine auffallende Abscheu vor diesen Dingen zeigt, läßt sich durch Tulla Pokriefke anstacheln und aufreizen und vollbringt bei dem Masturbationswettbewerb eine Höchstleistung, obwohl er dadurch sein höchstes

Ideal, die der Jungfrau Maria geweihte Reinheit des Körpers und Geistes, verletzt. Um sich quasi zu rechtfertigen, ohrfeigt er die Verführerin: er hat seinem Geltungsdrang einen Tribut gezollt, hat sich die Achtung und Bewunderung seiner Kameraden erworben, mit den Ohrfeigen sich jedoch von der begangenen Sünde losgekauft und seine Unberührtheit und Reinheit wiederhergestellt. Ein weiterer Widerspruch wird zwischen Mahlkes gesamter persönlicher Welthaltung und Lebenseinstellung und seinen militärischen Kriegstaten offenbar. Zu Pilenz sagt er: „Hab mich übrigens freiwillig gemeldet. Schüttel über mich selber den Kopf. Weißt ja, wie wenig ich davon halte: Militär, Kriegsspielen und diese Überbetonung des Soldatischen ..." Trotzdem vollbringt er außerordentliche militärische Taten, erledigt fünfzig russische Panzer und erhält dafür das Ritterkreuz. Sein Geltungsbedürfnis ist damit befriedigt, aber die gewünschte Gelegenheit, an dem Ort, der ihm viel bedeutet, in der Aula seiner alten Schule, gefeiert zu werden und Bewunderung einzukassieren, bleibt ihm versagt. Mahlke, der jetzt und endlich sich selbst bestätigt zu haben glaubt, die Pubertätsstufe überwunden hat und auch seinen Adamsapfel nicht mehr als störend empfindet, meint: „Was man früher für Quatsch gemacht hat. Erinnerst Du dich? Konnte mich einfach nicht an das Ding da gewöhnen. Dachte, das ist eine Art Krankheit, dabei ist das vollkommen normal. Kenn Leute, oder hab welche gesehen, die noch größere haben ohne sich groß aufzuregen. Fing damals mit der Katzengeschichte an ..."
Mahlke trägt jetzt seinen Hals frei, er verdeckt das Ding, den Knorpel nicht mehr durch ablenkende Gegenstände. Aber die Maus – jetzt zeigt es sich – ist nicht der Knorpel allein, die Maus ist der g a n z e Mahlke, und die Katze, die ihn erlegt, ist vielerlei: ist Mahlke selbst, ist sein Minderwertigkeitskomplex, sein übersteigertes, krankhaftes Geltungsbedürfnis, seine Schizophrenie, seine Zwangsneurose, ist aber auch das Unverständnis, die Arroganz, Unvernunft und Härte seiner Umwelt, der Gesellschaft schlechthin. Dementsprechend haben auch die meisten Kritiker und Interpreten die Novelle „Katz und Maus" als die Entwicklungsgeschichte eines konstitutionell gestörten Jugendlichen betrachtet, der eine heftige Pubertätskrise durchmacht und

in der Heldenverehrung, die er auf sich selbst bezogen wissen will, einen Akt der Selbstrechtfertigung und Selbstbestätigung sieht, einen Akt, der seine Ichsüchtigkeit glorifiziert.

Pilenz

Neben Joachim Mahlke steht sein Schulkamerad Pilenz. Er ist der Erzähler der Geschichte und gleichzeitig das Medium, durch welches die Gestalt Mahlkes und die gesamten Vorgänge um Mahlke gesehen werden.

Es ist Pater Alban, der Pilenz ermuntert, die Geschichte von „Katz und Maus" zu berichten: „Setzen Sie sich einfach hin, lieber Pilenz, und schreiben Sie drauflos. Sie verfügen doch, so kafkaesk sich ihre ersten poetischen Versuche und Kurzgeschichten lasen, über eine eigenwillige Feder: schreiben Sie sich frei — der Himmel versah Sie nicht ohne Bedacht mit Talenten."

Albans Wort „Schreiben Sie sich frei" deutet an, daß Pilenz sich in irgendeiner Weise belastet fühlt: tatsächlich quält ihn sein unruhiges Gewissen, empfindet er eine Art Schuldgefühl gegenüber Mahlke, und so beginnt er zu berichten „von Katz und Maus und mea culpa . . ."

„Ich (Pilenz) aber, der ich Deine (Mahlkes) Maus einer und allen Katzen in den Blick brachte, muß nun schreiben. Selbst wären wir beide erfunden, ich müßte dennoch. Der uns erfand, von berufswegen (der Autor Günter Grass), zwingt mich, wieder und wieder Deinen Adamsapfel in die Hand zu nehmen, ihn an jeden Ort zu führen, der ihn siegen oder verlieren sah; und so lasse ich am Anfang die Maus über dem Schraubenzieher hüpfen . . ."
Pilenz war es, der dem im Gras neben dem Schlagballfeld liegenden und schlafenden Mahlke eine Katze an die Gurgel setzt, damit diese den in leiser Bewegung befindlichen Adamsapfel Mahlkes für eine Maus halten und anspringen soll, was auch tatsächlich geschieht; nie hat Mahlke erfahren, wer diesen üblen Scherz ausgeführt hat; später einmal erzählt er Pilenz: „Weißt Du noch, wir lagen auf dem Heinrich-Ehlers-Platz. Lief wohl gerade ein Schlagballturnier. Ich schlief oder drusselte vor mich

hin, und das graue Biest, oder war es schwarz, sah meinen Hals und sprang, oder einer von Euch, Schilling, glaub ich, wär ihm zuzutrauen, nahm die Katze ... Na, Schwamm drüber."

Oder ein andermal: „Mahlke erwähnte lachend seine, wie er es nannte, weit zurückliegenden Halsgeschichten, brachte auch – Mutter wie Tante lachten mit – das Katzenmärchen zum Vortrag: diesmal setzte ihm Jürgen Kupka das Biest an die Gurgel; wenn ich nur wüßte, wer die Mär erfunden hat, er oder ich, oder wer schreibt hier?"

Das Wissen um seine Schuld quält Pilenz, und so geht er in der Erinnerung allen Dingen nach, die Mahlke zu dem getrieben haben, was dann später geschehen ist.

„Ich, Pilenz – was tut mein Vorname zur Sache – früher mal Ministrant, wollte weiß nicht was alles werden, nun Sekretär im Kolpinghaus, kann von dem Zauber nicht lassen, lese Bloy, die Gnostiker, Böll, Friedrich Heer und oft betroffen in des guten alten Augustinus Bekenntnissen, diskutiere bei zu schwarzem Tee nächtelang das Blut Christi, die Trinität und das Sakrament der Gnade mit Pater Alban, einem aufgeschlossenen, halbwegs gläubigen Franziskaner, erzähle ihm von Mahlke und Mahlkes Jungfrau, von Mahlkes Gurgel und Mahlkes Tante, von Mahlkes Mittelscheitel, Zuckerwasser, Grammophon, Schnee-Eule, Schraubenzieher, Wollpuscheln, Leuchtknöpfen, von Katz und Maus und mea culpa, auch wie der Große Mahlke auf dem Kahn saß und ich, ohne mich zu beeilen, in Brustlage, Rückenlage zu ihm schwamm; denn nur ich war mit ihm so gut wie befreundet, wenn man mit Mahlke befreundet sein konnte. Gab mir jedenfalls Mühe. Keine Mühe! Lief von ganz alleine neben ihm und seinen wechselnden Attributen. Wenn Mahlke gesagt hätte: „Mach das und das!" ich hätte das und noch mehr gemacht. Mahlke sagte aber nichts, ließ sich wort- und zeichenlos gefallen, wenn ich ihm nachlief, ihn, obgleich das ein Umweg war, in der Osterzeile abholte, damit ich an seiner Seite zur Schule gehen durfte. Und als er die Puscheln als Mode einführte, war ich der erste, der die Mode mitmachte und Puscheln am Hals trug. Trug auch eine Zeitlang, aber nur zu Hause, einen Schraubenzieher am Schnürsenkel. Und wenn ich mich weiterhin bei Hochwürden Gusewski als Ministrant beliebt machte, obgleich Glaube und alle Voraussetzungen seit der Untertertia futsch waren, dann nur, um Mahlke während der Kommunion auf die Gurgel starren zu können. Drum, als sich der Große Mahlke nach den Osterferien zweiundvierzig — im Korallenmeer gab es Schlachten mit Flugzeugträgern — zum erstenmal rasierte, kratzte ich zwei Tage später gleichfalls mein Kinn, wenn auch bei mir von Bartwuchs keine Rede sein konnte. Und hätte Mahlke nach der Rede des U-Boot-Kommandanten zu mir gesagt: „Pilenz, klau ihm das Ding mit dem Drussel!", ich hätte das Ding mit dem schwarzweißroten Band vom Haken gelangt und für Dich aufgehoben."

Pilenz wird von Mahlke gleichsam magnetisch angezogen. Er folgt ihm wie sein Schatten, sonnt sich in seiner Nähe, ist stolz, wenn man ihn in Mahlkes Begleitung trifft: „Ich war stolz, wenn Hotten Sonntags Schwester oder die kleine Pokriefke mich an Deiner Seite vor den Kunstlichtspielen oder auf dem Heeresanger traf. Du warst unser Thema. Wir wetteten: „Was wird er jetzt machen? Wetten wir, der hat schon wieder Halsschmerzen! Jede Wette gehe ich ein: Der hängt sich irgendwann mal auf oder kommt ganz groß raus oder erfindet was ganz Dolles."

So steht Pilenz ganz im Banne Mahlkes. Es ist die Andersartigkeit Mahlkes, die Pilenz anzieht. Ist Mahlke im ganzen gesehen der Aktive, so ist Pilenz der Passive. Braucht Mahlke sein Publikum, so versucht Pilenz, sich dem Publikum zu entziehen. Er will nur Mahlke folgen, nur ihm allein dienen, beistehen, helfen. Es ist in gewisser Weise tragisch für Pilenz, daß Mahlke seine Hilfe ablehnt, selber für sich sorgt: „Mahlke sorgte selber für sich... Dir war nicht zu helfen."

Von Zeit zu Zeit verliert Pilenz Mahlke aus den Augen, er ist dann immer sehr beunruhigt und sucht ihn unentwegt. Er tritt seinen Dienst als Meßdiener an in der Hoffnung, Mahlke beim Kommunizieren zu sehen; Anfang 1943 wird Pilenz Luftwaffenhelfer in der Strandbatterie Brösen-Glettkau bei Danzig und hört hier, daß Mahlke in die Arbeitsdienstabteilung Tuchel-Nord einberufen worden sei. Im Februar 1943 trifft er ihn im Schloßpark

Oliva, im Februar 1944 erfährt er, daß Mahlke bei den Panzern ist und fünfzig russische Panzer abgeschossen hat, im Juni 1944 trifft er Mahlke, dem inzwischen das Ritterkreuz verliehen worden ist, im Gymnasium Conradinum, wo Mahlke Oberstudienrat Klohse bittet, vor der Schülerschaft des Gymnasiums einen Vortrag halten zu dürfen; einige Tage später ist Pilenz dabei, als Mahlke nachts dem Oberstudienrat, der sein Ansinnen abgelehnt hat, auflauert und Ohrfeigen verabreicht; dann hört er, daß Mahlke nicht mehr zur Truppe zurückkehren will, gibt ihm den Rat, sich auf dem Wrack der „Rybitwa" zu verstecken, und rudert ihn auf das Wrack hinaus und ist dabei, als Mahlke untertaucht, um nicht mehr aufzutauchen. Pilenz drängt sich oft Mahlke auf, Mahlke bleibt ihm gegenüber reserviert, und so gelingt es auch Pilenz nie, Mahlke ganz zu verstehen, Mahlkes Beweggründe kennenzulernen, Mahlkes Wesen zu entschlüsseln. Mahlke bleibt für Pilenz ein Fremder, den er bewundert, aber nie erfassen kann, ein Geheimnis, das irgendwie unergründlich bleibt: „Seine Seele wurde mir nie vorgestellt. Nie hörte ich, was er dachte", bekennt Pilenz. Mahlkes Tun und Lassen sind ihm ein Rätsel bis zum Schluß.

Und dieser Schluß? Mahlke stiehlt sich davon und läßt einen genasführten, ratlosen Pilenz zurück. „Ich und der Büchsenöffner blieben zurück." Pilenz zählt die Sekunden, wirft Mahlke vor: „Wenn wir auch keine Klopfsignale abgemacht hatten, hättest Du dennoch klopfen können. Noch einmal und noch einmal ließ ich den Bagger für mich dreißig Sekunden abzählen. Wie sagt man. Nach menschlichem Ermessen mußte er . . ." Dann beginnt Pilenz mit seinen Absätzen, mit Mahlkes Knobelbechern das Brückendeck zu bearbeiten, schreit: „Komm wieder rauf, Mensch!" – aber von Mahlke keine Spur.

Am nächsten Tag sucht er nocheinmal mit dem Feldstecher seines Vaters das Wrack, die See, den Horizont ab: ohne Erfolg. In den folgenden Jahren hört er nicht auf, nach Mahlke zu suchen, besucht jede Zirkusvorstellung, um einen Clown namens Mahlke zu entdecken, begibt sich im Oktober 1959 zum Treffen der Ritterkreuzträger nach Regensburg: ohne Erfolg. „Du wolltest nicht auftauchen."

Hilflos, seines eigentlichen Lebensinhaltes beraubt, bleibt Pilenz zurück. „Immer wieder bohre ich mir mit selbstgedrechselter Frage im Ohr: Sagte er noch etwas, bevor er nach unten ging? Halbgewiß bleibt nur jener verkantete Blick über die linke Schulter zur Brücke. Durch kurzes Hocken feuchtete er sich an, färbte das Fahnentuchrot der Gymnasiastenturnhose stumpf dunkel, raffte rechts das Netz mit den Konservendosen handlich zusammen – aber der Bonbon? Am Hals hing er nicht. Verwarf er ihn unauffällig? Welcher Fisch bringt ihn mir? Sagte er noch etwas über die Schulter? Hoch zu den Möwen? Ich glaube nicht, zu hören, daß Du „Also, bis heute abend!“ sagtest. Kopfvoran und mit zwei Konservendosen beschwert, taucht er weg . . .“

Zu der Frage „Wer schreibt mir einen guten Schluß?“ äußert sich Ingrid Tiesler wie folgt: „Diese hilfesuchende Frage liegt etwas schief im Munde des Pilenz. Er schreibt ja keine Novelle, die einen guten Schluß verlangt, sondern er betreibt Gewissenserforschung mit der Hoffnung auf ein klärendes und beruhigendes Resultat. Hier ist Pilenz Sprachrohr, nicht mehr Erzählmedium. Die Frage kann verstanden werden als eine Art Stellenangebot des Autors für einen neuen fiktiven Erzähler, weil der alte nicht mehr brauchbar ist und ausgedient hat. Pilenz kann die Geschichte nicht in die Gegenwart und Zukunft weiterführen, denn er ist darauf festgelegt, nur die Vergangenheit nachzuerleben und zu erforschen, er kann nur im Banne Mahlkes und des Ritterkreuzes erzählen. Ohne seinen Stoff ist der Gestalter nichts.“

Aber: „Was mit Katze und Maus begann, quält mich noch heute . . .“ Pilenz wird sein Schuldgefühl nicht los, er ist Mahlkes Wagner und Mephisto in einem, er ist kein selbständiges Geschöpf, sondern lebt von Mahlke, für Mahlke und gegen Mahlke, als sein Klischee, sein guter, hilfreicher Freund und böser Geist zugleich: zu seiner Rechtfertigung, um sich innerlich zu befreien, muß er schreiben, erzählt er die Geschichte von „Katz und Maus“, vom Leben und Sterben seines Schulkameraden Joachim Mahlke, wie er es erlebt hat, sieht und mutmaßte.

Tulla Pokriefke

Tulla Pokriefke, so heißt es zu Beginn des dritten Kapitels, ein Spirkel mit Strichbeinen, hätte genausogut ein Junge sein können. „Jedenfalls hat sich das zerbrechliche Ding, das nach Laune mitschwamm, als wir den zweiten Sommer auf dem Kahn kleinbekamen, nie vor uns geniert, wenn wir die Badehosen schonten, uns blank auf dem Rost lümmelten und nichts oder nur ganz wenig mit uns anzufangen wußten.

Tullas Gesicht wäre mit einer Punkt-Komma-Strich-Zeichnung wiederzugeben. Eigentlich hätte sie Schwimmhäute zwischen den Zehen haben müssen, so leicht lag sie im Wasser. Immer, auch auf dem Kahn, trotz Seetang, Möwen und säuerlichem Rost, stank sie nach Tischlerleim, weil ihr Vater in der Tischlerei ihres Onkels mit Leim zu tun hatte. Sie bestand aus Haut, Knochen und Neugierde. Ruhig, über gestütztem Kinn, guckte Tulla zu, wenn Winter oder Esch nicht mehr drum herum kamen und ihren Obolus entrichteten. Mit durchtretender Wirbelsäule hockte sie Winter, der immer lange brauchte, um fertig zu werden, gegenüber und maulte: „Mensch, das dauert aber."

Als das Zeug endlich kam und auf den Rost klatschte, begann sie erst richtig zappelig zu werden, warf sich auf den Bauch, machte enge Rattenaugen, guckte guckte, wollte ichweißnichtwas entdecken, hockte wieder, ging auf die Knie, stand leicht x-beinig darüber und begann mit beweglichem großen Zeh zu rühren, bis es rostrot schäumte: „Mensch, prima! Mach Du jetz mal, Atze."
Dieses Spielchen – und es ging wirklich harmlos dabei zu – wurde Tulla nie langweilig. Näselnd bettelte sie: „Mach doch mal. Wer hat heut noch nicht? Du bist jetzt dran."

Immer fand sie Dumme und Gutmütige, die sich, auch wenn ihnen gar nicht danach war, an die Arbeit machten, damit sie etwas zu gucken hatte. Der einzige, der nicht mitmischte, bis Tulla das richtige anstachelnde Wörtchen fand, war – und deshalb wird diese Olympiade beschrieben – der große Schwimmer und Taucher Joachim Mahlke. Während wir alle jener schon in der Bibel belegten Beschäftigung allein oder – wie es im Beichtspiegel heißt – zu mehreren nachgingen, blieb Mahlke immer in seiner Badehose, guckte angestrengt in Richtung Hela. Wir waren sicher, daß er zu Hause den gleichen Sport betrieb.

„Kannste das auch? Mach doch mal. Oder kannste das nich? Willste nich? Darfste nich?"

Mahlke trat halb aus dem Schatten und wischte Tulla links rechts mit Handfläche und Handrücken das kleine und gedrängt gezeichnete Gesicht. Das Ding an seinem Hals geriet außer Rand und Band. Auch der Schraubenzieher tat verrückt. Tulla weinte natürlich keinen Tropfen, lachte meckernd mit geschlossenem Mund, kugelte sich vor ihm, verdrehte ihre Gummiglieder und guckte aus mühelos geschlagener Brücke zwischen Strichbeinen hindurch solange in Richtung Mahlke, bis der, schon wieder im Schatten – und der Schlepper drehte nach Nordwest ab – „Na schön" sagte. „Damit Du endlich die Schnauze hältst."

Tulla Pokriefke ist das einzige Mädchen in der Gruppe der sieben Jungen, die ihre Freizeit auf dem gesunkenen polnischen Minensuchboot, der „Rybitwa", verbringen. Zu der Gruppe gehören Esch, Kupka, Mahlke, Pilenz, Schilling, Hotten Sonntag und Winter. Tulla Pokriefke bewegt sich ungeniert in dieser Gruppe, als ob sie ein Junge wäre. Trotz ihrer Spillerigkeit und Unansehnlichkeit beherrscht sie die Gruppe in manchen Dingen. Wie sie selber keine Moralbegriffe kennt, stachelt sie auch die Jungen zu allerlei unmoralischen, unzüchtigen Handlungen auf. Hemmungen hat Tulla in keiner Weise, Schamgefühl ist ihr unbekannt. Was sie antreibt, ist ihre Neugierde und ihr Erlebnishunger. Neugierig ist sie einmal auf das Phänomen „Junge" schlechthin, sie will wissen, „wie sie es machen", sie ergötzt sich an gewissen pubertätsbedingten exhibitionistischen und sexuellen Ausschweifungen; ihr Erlebnishunger richtet sich auf besondere, ungewöhnliche Situationen, sie sucht Spannung, Unterhaltung, Zerstreuung, Kurzweil. Sie lebt dem Augenblick und genießt ihn und sich selbst in einer unbekümmerten, unproblematischen Weise.

„Sie hockte, ein Gliederbündel, auf dem Geländer des Laufsteges zwischen Damenbad und Familienbad. Immer noch und seit Sommern klebte dieser mausgraue, überall grobgestopfte Kinderbadeanzug an ihr: das bißchen Brust gequetscht, die Schenkel abgeschnürt, und zwischen den Beinen eine vom verfilzten Stoff nachgeformte Mösenfalte. Sie schimpfte mit krauser Nase und gespreizten Zehen ... Nur so konnte und kann ich Tulla Pokriefke knochig, in mausgrauer Wolle auf dem Geländer hocken sehen: kleiner verrückter schmerzhafter wird sie; denn uns allen saß Tulla als Splitter im Fleisch ..."

Oberstudienrat Waldemar Klohse

Oberstudienrat Waldemar Klohse ist der Typ des alten, starren, autoritären, inhumanen Gymnasiallehrers. Er ist zugleich der Leiter und Direktor der Schule und „verkörpert dunkel als Umriß die Anstalt, die Schule, die Conradische Stiftung, den Conradischen Geist, das Conradinum – so hieß unser Gymnasium."
Es war ein altes Gymnasium, eine Stiftung reicher Bürger der Stadt. Eine große Granittreppe führte zum Haupteingang hinauf, beide Türen standen offen; trat man ein, stieß man auf gedrungene Granitsäulen. Dann die marmorne Gedenktafel für die Gefallenen beider Kriege mit noch ziemlich viel Platz. Lange Gänge zwischen den Klassen, Klassenschilder an den Türen: 3a – 3b – Zeichensaal – 5a – Der Glaskasten für ausgestopfte Säugetiere – das Konferenzzimmer ziemlich am Ende des Korridors. Die Aula: groß, feierlich, hohe Fenster, Podium und – alles beherrschend – die Büste Gotthold Ephraim Lessings, die der Schule die Atmosphäre und den Geist alter humanistischer Tradition verleihen sollte. Aber von Lessings weltoffener, kritischer, humanitärer, toleranter Haltung war in dieser Schule keine Spur: Klohse war Amtsleiter; zwar unterrichtete er selten in Parteikluft, vertrat aber nichtsdestoweniger ständig und bei jeder Gelegenheit das nationalsozialistische Gedankengut in abgedroschenen Parteiphrasen und leeren, stereotypen Wortklischees, die er bis zur Bewußtlosigkeit wiederholte und seinen Zöglingen einzuhämmern suchte. Dabei wehte sein „kühler Pfefferminzatem" über die

Köpfe der Schüler hinweg; Klohse berauschte sich selber an seinem Phrasengeklingel und verkündete sieges- und nationalbewußt die Notwendigkeit bestimmter Ideale: Sauberkeit, Reinheit, Reifwerden, Mannhaftigkeit, Tapferkeit, Heldentum, Vaterlandsliebe, Führertreue, Hingabe an das Volk, Einsatz des Lebens, Todesbereitschaft.

Wolfgang Borchert hat in einer „Lesebuchgeschichte" die verlogene Phrasenhaftigkeit und hohle Pathetik eines solchen Lehrertyps treffend gekennzeichnet:

Kegelbahn. Zwei Männer sprachen miteinander.

„Nanu, Studienrat, dunklen Anzug an? Trauerfall?"

„Keineswegs, keineswegs. Feier gehabt. Jungens gehen an die Front. Kleine Rede gehalten. Sparta erinnert. Clausewitz zitiert. Paar Begriffe mitgegeben: Ehre, Vaterland. Hölderlin lesen lassen. Langemarck gedacht. Ergreifende Feier. Ganz ergreifend. Jungens haben gesungen: Gott, der Eisen wachsen ließ. Augen leuchteten. Ergreifend. Ganz ergreifend."

„Mein Gott, Studienrat, hören Sie auf. Das ist ja gräßlich."

Der Studienrat starrte den anderen entsetzt an. Er hatte beim Erzählen lauter kleine Kreuze auf das Papier gemacht. Lauter kleine Kreuze. Er stand und lachte. Nahm eine Kugel und ließ sie über die Bahn rollen. Es donnerte leise. Dann stürzten hinten die Kegel. Sie sahen aus wie kleine Männer.

Die Sprechlage des Studienrats ist dem Thema seiner Rede angemessen. Er bedient sich des abgehackten, forschen Offizierstons, um seine Schneidigkeit zum Ausdruck zu bringen.

Wie der Borchertsche Studienrat verweist auch Klohse in seinen Reden aus Anlaß der Besuche der beiden Ritterkreuzträger auf bestimmte heldische Vorbilder und Verhaltensweisen: sein „Wandererkommstdu" meint den Heldenkampf der Spartaner bei den Thermopylen unter Leonidas im Jahre 480 v. Chr. Mit dreihundert Spartiaten kämpfte Leonidas bis zum Untergang, rettete aber dadurch das Vaterland. Klohse verweist wie der Borchertsche Studienrat auf den Opfertod der deutschen kriegsfreiwilligen Studenten bei Langemarck im November 1914, verweist weiter auf das Vorbild von Walter Flex, der 1914 auf der Insel Ösel bei einem Sturmangriff den Heldentod starb, auf dessen im Ersten Weltkrieg weitverbreitetes, von vielen Frontkämpfern im Tornister mitgeführtes Buch „Der Wanderer zwischen beiden Welten", dessen Held Ernst Wurche dem Grundsatz „Reifwerdenreinbleiben" huldigt und wie sein Autor selbst bei einem Sturmangriff fällt. Wie Borcherts Studienrat verweist auch Klohse auf Ernst Moritz Arndts „Der Gott, der Eisen wachsen ließ" und auf Johann Gottlieb Fichtes „Deutschen Spruch":

Und handeln sollst Du so als hinge
Von Dir und Deinem Tun allein
Das Schicksal ab der deutschen Dinge
Und die Verantwortung wär' dein.

Er verweist ferner auf das Reiterlied Schillers, in das am Ende von „Wallensteins Lager" alle Soldaten begeistert einstimmen:

Und setzet ihr nicht das Leben ein
Nie wird Euch das Leben gewonnen sein.

Und er verweist schließlich auf das Vorbild des Führers Adolf Hitler, dessen Wunsch es war, die deutsche Jugend möge flink sein wie Windhunde, zäh wie Leder und hart wie Kruppstahl: „flinkzähhart".

Das „Jenedienachunskommen" bestimmt die Lebenden, die Lehrer und Schüler des Conradinums selber zu Vorbildern, verweist auf ihre Verpflichtung, groß, stark und tapfer zu sein, Muster zu sein für kommende Generationen und nicht wieder diesen oder jenen Scharlatanereien zu erliegen: „Dochdiesmalwirddieheimat" nicht wieder dem Feind im Rücken zum Opfer fallen, wie es im Ersten Weltkrieg der Fall gewesen war („Im Felde unbesiegt" – „Dolchstoßlegende"); sie wird heldenhaft aushalten, um das große Ziel zu erreichen.

Klohses Reden verbreiten Langeweile unter den Schülern, niemand nimmt den Phrasenschwall ernst, Zettel wandern zwischen den Schülern des Gymnasiums und den als Gäste teilnehmenden Schülerinnen der Gudrun-Schule hin und her.

Nach dem Ritterkreuzdiebstahl ist Klohse ganz empörte, erschütterte Amtsperson; er tritt nicht gleich in Erscheinung, führt erst die notwendigen Untersuchungen: „Erst am Dienstag kam Oberstudienrat Klohse mit grauem Aktendeckel, stellte sich neben Studienrat Erdmann – der rieb sich verlegen die Hände – und über unsere Köpfe hinweg tönte Klohse mit kühlem Atem, Unerhörtes habe sich zugetragen, und das in schicksalhaften Zeiten, da alle zusammenhalten müßten. Der Betreffende – Klohse nannte keinen Namen – sei bereits von der Anstalt entfernt worden. Man habe aber davon abgesehen, andere Instanzen, etwa die Gebietsführung zu benachrichtigen. Allen Schülern wurde nahegelegt, mannhaftes Schweigen walten zu lassen und im Sinne der Schule würdeloses Verhalten wettzumachen." Hierzu Ingrid Tiesler: „Das pädagogische Unrecht ist, daß Klohse den Tatbestand dämonisiert. Klohse tritt vor seine Schüler wie vor Ausgeschlossene und Ignoranten, die es bleiben müssen. Der ominöse graue Aktendeckel, den er mitbringt, wird nicht geöffnet, er dient nur der Einschüchterung. Die Schüler sollen nicht verstehen, was vorgeht, sondern es soll ihnen angst werden. Die Entscheidungen der Vorgesetzten sind unnachprüfbar und gläubig hinzunehmen . . . Verborgen bleibt, was unter vier Augen gesagt wurde, als Mahlke das gestohlene Ritterkreuz in Klohses Wohnung brachte und als er später mit eigenem Orden im Direktorzimmer war." Eine Fehlentscheidung Klohses, der sich selbst in nicht gerade mannhafter Weise hinter dem Konferenzbeschluß versteckt und Mahlke an die Horst-Wessel-Oberschule abschiebt, ist das Redeverbot für Mahlke, obwohl er weiß, daß es Mahlke nur daran liegt, an seiner alten Schule in Erscheinung zu treten und daß man an der Horst-Wessel-Oberschule die gleiche Entscheidung treffen wird. Zudem läßt er sich als subalterner Beamter, der keine Verantwortung selbst zu tragen gewillt ist, die Richtigkeit der Entscheidung auch noch vom Oberschulrat bestätigen. Sein „Lernen Sie verzichten, Mahlke!" und sein an Mahlke gerichteter Brief, in dem er schreibt, daß er nicht so handeln kann, wie er es gern tun möchte, daß sein Herz anders urteile als sein moralisches Gewissen, ist reine Heuchelei. In Wirklichkeit haßt Klohse Mahlke und will ihn nicht sich rechtfertigen lassen. „Man sieht, der Conradische Geist, den Klohse verkörpert, hat wenig mit dem Geist Lessings, mit dessen Toleranz und seiner Liebe zur Wahrhaftigkeit zu tun: die Lessingbüste in der Aula ist nur Verzierung."

Die Rache, die Mahlke an Klohse nimmt, ist daher verständlich. Er reagiert mit Ohrfeigen, links rechts, mit Handrücken und Handfläche, seine Erniedrigung und Demütigung an Klohse ab. Klohse nimmt die Züchtigung hin; sie bestätigt nur seine Auffassung, die er von Mahlke hat, in dem er einen verantwortungslosen, niedrigen Menschen sieht. Pharisäerhaft fühlt er sich als Held, als einer, der für das Recht, für die Ordnung der Anstalt, für den Conradischen Geist zu leiden hat: als ein „von der Bürde seines Berufs gezeichneter Schulmann."

Studienrat Mallenbrandt

Studienrat Mallenbrandt ist Turnlehrer und unterrichtet außerdem Geographie und katholische Religion. In Turnerkreisen ist er bekannt, weil er ein richtungsweisendes Regelbuch für das Schlagballspiel geschrieben hat. Bis ins zweite Kriegsjahr hinein hat er die Reste eines katholischen Arbeiter-Turnvereins bei turnerischen Übungen zusammengehalten. Während er Mahlke verbietet, beim Turnunterricht den Schraubenzieher am Schnürsenkel um den Hals gehängt zu tragen, hat er gegen das silberne Amulett mit der silbernen katholischen Jungfrau vermutlich aus religiösen Gründen nichts einzuwenden.

Auch Studienrat Mallenbrandt ist ein autoritärer Lehrertyp. Er verschafft sich Gehör mit Hilfe seiner Trillerpfeife, durch die er seine Schüler regiert.

Mallenbrandt fühlt sich in seiner Position als hervorragender Turnlehrer bestätigt, als der Kapitänleutnant und Ritterkreuzträger ihn als seinen alten Lehrer bittet, wieder einmal unter seiner Leitung in der „guten alten Turnhalle" mitturnen zu dürfen.

„Mallenbrandts Trillerpfeife rief uns in die Turnhalle und unters Reck. Der Kaleu leitete, von Mallenbrandt behutsam unterstützt, die Turnstunde, das heißt, wir mußten uns nicht besonders anstrengen, weil er Wert darauf legte, uns etwas vorzumachen, unter anderem die Riesenwelle am Reck mit gegrätschtem Abgang. Außer Hotten Sonntag hielt nur noch Mahlke mit, aber niemand mochte hingucken, so scheußlich und mit krummen Knien krampfte er Welle und Grätsche. Als der Kaleu mit uns ein lockeres und sorgfältig aufgebautes Bodenturnen begann, tanzte Mahlkes Adamsapfel immer noch toll und wie gestochen. Beim Hechtsprung über sieben Mann, der mit einer Rolle vorwärts aufgefangen werden sollte, landete er schief auf der Matte, vertrat sich wohl den Fuß, saß mit lebendigem Knorpel abseits auf einem Kletterbalken und muß sich verdrückt haben, als die Primaner zu Beginn der zweiten Stunde dazu kamen. Erst beim Korbballspiel gegen die Prima machte er wieder bei uns mit, warf auch drei oder vier Körbe; wir verloren trotzdem.
Unsere neugotische Turnhalle wirkte im gleichen Maße feierlich, wie die Marienkapelle auf Neuschottland den nüchtern gymnastischen Charakter einer ehemaligen und modern entworfenen Turnhalle beibehielt, soviel bunten Gips und gespendeten Kirchenpomp Hochwürden Gusewski in jenes, durch breite Fensterfronten brechende Turnerlicht stellen mochte. Wenn dort über allen Geheimnissen Klarheit herrschte, turnten wir in geheimnisvollem Dämmern: unsere Turnhalle hatte Spitzbogenfenster, deren Backsteinornamente die Verglasung mit Rosetten und Fischblasen aufteilten. Während in der Marienkapelle Opfer, Wandlung und Kommunion vollausgeleuchtete zauberlose und umständliche Betriebsvorgänge bleiben – es hätten an Stelle der Hostien auch Türbeschläge, Werkzeuge oder wie einst, Turngeräte, etwa Schlaghölzer und Stafettenstäbe verteilt werden können – wirkt im mystischen Licht unserer Turnhalle das simple Auslosen jener beiden Korbballmannschaften, die mit zügigem Zehnminutenspiel die Turnstunde beendeten, feierlich und ergreifend, ähnlich einer Priesterweihe oder Firmung; und das Wegtreten der Ausgelosten in den schummrigen Hintergrund geschah mit der Demut heiliger Handlung. Besonders wenn draußen die Sonne schien und einige

morgendliche Sonnenstrahlen durchs Laub der Pausenhofkastanien und durch die Spitzbogenfenster fanden, kam es, sobald an den Ringen oder am Trapez geturnt wurde und dank des schräg einfallenden Seitenlichtes, zu stimmungsvollen Effekten. Wenn ich mir Mühe gebe, sehe ich heute noch den untersetzten Kapitänleutnant in den meßdienerroten Turnhosen unseres Gymnasiums am schwingenden Trapez leicht und flüssig turnen, sehe seine Füße — er turnte barfuß — makellos gestreckt in einen der schrägen und goldflimmernden Sonnenstrahlen tauchen, sehe seine Hände — denn auf einmal hing er im Kniehang am Trapez — nach solch einer goldstaubwimmelnden Lichtbahn greifen; so wunderbar altmodisch war unsere Turnhalle, und auch die Umkleideräume bekamen ihr Licht durch Spitzbogenfenster. Deshalb nannten wir den Umkleideraum: Die Sakristei.

Mallenbrandt pfiff, und Primaner wie Untersekundaner mußten nach dem Korbballspiel antreten, für den Kaleu „Imfrühtauzubergewirziehnfallera" singen und wurden in den Umkleideraum entlassen."

Nach dem Ritterkreuzdiebstahl im Umkleideraum seiner Turnhalle ist Mallenbrandt bei der Suche nach dem Täter ganz Autoritätsperson. In flauschigem Bademantel steht er da und brüllt: „Werwardas? Sollsichmelden!" Natürlich erwischt er den Falschen, verabreicht dem völlig unschuldigen Buschmann zahlreiche Ohrfeigen, hat aber sonst mit seiner Untersuchung keinen Erfolg. Mallenbrandt schlägt vor, die Geschichte nicht allzu ernst zu nehmen, schiebt dem aufgeregt Zigaretten rauchenden und die Kippen auf den Boden werfenden Kapitänleutnant streng erzieherisch einen Spucknapf zu, worauf der Kapitänleutnant das Rauchen einstellt. Mallenbrandt hat sich durchgesetzt, seine Autorität ist gerettet, aber den Schuldigen findet er nicht.

Hochwürden Gusewski

„Hochwürden Gusewski hatte dichtes drahtiges, krausschwarzes, nur vereinzelt eisgraues Haar auf schuppiger, die Soutane zeichnender Kopfhaut. Peinlich genau rasiert saß ihm die Tonsur bläulich am Hinterkopf. Birkenwasser und Palmolivseife bestimmten seinen Geruch. Manchmal rauchte er Orientzigaretten mit Hilfe einer kompliziert geschliffenen Bernsteinspitze. Er galt als fortschrittlich und spielte mit den Ministranten, auch mit den Erstkommunizierenden Tischtennis in der Sakristei. Alles Weißzeug, das Humerale und die Albe ließ er sich von einer Frau Tolkmit oder, wenn die Alte erkrankt war, von geschickten Ministranten, oft von mir, übermäßig stärken. Jeden Manipel, jede Stola, alle Meßgewänder, ob sie in Schränken lagen oder hingen, behängte und beschwerte er eigenhändig mit Lavendelsäckchen. Als ich etwa dreizehn Jahre alt war, fuhr er mir mit kleiner unbehaarter Hand vom Nacken abwärts unters Hemd bis zum Bund der Turnhose, ließ dann die Hand zurückkehren, weil die Hose keinen dehnbaren Gummizug hatte, und ich sie vorn mit eingenähten Stoffbändern schnürte. Ich machte mir nicht viel aus dem versuchten Griff, zumal Hochwürden Gusewski in seiner freundlichen, oft jungenhaften Art meine Sympathie besaß. Noch heute erinnere ich mich seiner mit spöttischem Wohlwollen; deshalb kein Wort mehr über gelegentliche und harmlose, im Grunde nur meine katholische Seele suchende Handgriffe. Insgesamt war er ein Priester wie hundert andere, unterhielt eine gutausgewählte Bibliothek für seine wenig lesende Arbeitergemeinde, war nicht übertrieben eifrig, gläubig mit Einschränkungen – zum Beispiel in Sachen Mariä Himmelfahrt – und sprach jedes Wort, ob er übers Korporale hinweg vom Blut Christi oder in der Sakristei vom Tischtennis sprach, mit gleicher, salbungsvoll heiterer Betonung. Albern an ihm fand ich, daß er schon Anfang vierzig einen Antrag auf Namensänderung stellte und sich ein knappes Jahr später Gusewing, Hochwürden Gusewing nannte und nennen ließ."

Ob Hochwürden Gusewski eine homosexuelle Veranlagung hat, ist nicht ganz deutlich auszumachen. Einzelnes in der obigen

Schilderung deutet jedenfalls darauf hin. Pilenz gegenüber, der sich ihm als Meßdiener anbietet, ist er mißtrauisch; zwar ist er hinter randloser Brille tausendfältig über diesen Eifer erfreut, schöpft aber auch, als Pilenz Gusewskis Soutane ausbürstet, Verdacht und meint, Pilenz wolle nur dienen, um Mahlke, der ja ein eifriger Kirchgänger und Kommunikant ist, wiederzusehen. So sehr er Mahlkes Kirchentreue anerkennt, verurteilt er seinen übertriebenen Marienkult, der, wie er sagt, an heidnischen Götzendienst grenzt. Hochwürden Gusewski ist ein treuer Diener seiner Kirche und hält sich streng an deren Ordnung.

Die beiden Ritterkreuzträger

a) Der Luftwaffenleutnant

Zweimal halten ehemalige Abiturienten des Conradinums („Einer von uns, aus unserer Mitte, aus dem Geist unseres Gymnasiums hervorgegangen, und in diesem Sinne wollen wir . . ."), die beim Fronteinsatz das Ritterkreuz erhalten haben, Vorträge vor den Schülern des Gymnasiums. Der erste, ein Leutnant der Luftwaffe und erfolgreicher Jagdflieger, hält seinen Vortrag im Winter 1941/42.

„Er hatte sechsunddreißig in unserer Schule das Abitur gemacht und wurde im Jahre dreiundvierzig über dem Ruhrgebiet abgeschossen. Dunkelbraune, ungescheitelte und straff zurückgekämmte Haare hatte er, war nicht besonders groß, eher ein zierlicher, in einem Nachtlokal servierender Kellner. Beim Sprechen hielt er eine Hand in der Tasche, zeigt die versteckte Hand aber sofort, wenn ein Luftkampf geschildert und mit beiden Händen anschaulich gemacht werden sollte. Dieses Spiel mit durchgedrückten Handflächen beherrschte er nuancenreich, konnte, während er aus den Schultern heraus lauerndes Kurvenfliegen mimte, auf lange erklärende Sätze verzichten, streute allenfalls Stichworte und überbot sich, indem er Motorengeräusche vom Starten bis zum Landen in die Aula röhrte oder stotterte, wenn ein Motor defekt war. Man konnte annehmen, daß er diese Nummer im Kasino seines Fliegerhorstes geübt hatte, zumal das Wörtchen „Kasino" in seinem Munde zentrale Bedeutung hatte. Aber auch sonst, und abgesehen von den Schauspielerhänden wie vom naturgetreuen Geräuschenachmachen, war sein Vortrag recht witzig, weil er es verstand, einen Teil unserer Studienräte, die schon zu seiner Zeit dieselben Spitznamen gehabt hatten wie zu unserer Zeit, auf die Schippe zu nehmen. Blieb aber immer nett, lausbubenhaft, bißchen Schwerenöter, ohne große Angabe, sprach, wenn er etwas unerhört Schwieriges geleistet hatte, nie vom Erfolg, immer von seinem Glück: „Bin eben ein Sonntagsjunge, schon in der Schule, wenn ich an gewisse Versetzungszeugnisse denke . . ."

Seine Vortragsweise ist pennälerhaft, stockend, auf die sympathisch unbeholfene Art; seine Worte richten sich an die Schüler, versuchen, auf deren Sprachniveau zu bleiben und alles so recht burschikos und unbekümmert darzustellen: „. . . nun müßt ihr nicht denken, das läuft wie ne Karnickeljagd, mit drauf und los und hastenichjesehn . . . Oft wochenlang nichts. Dann picke ich mir einen raus, der bekommt seinen Segen, wiederhole die Nummer, klappt auch . . . , als mir der dritte vor die Spritze: schert nach unten aus, bin ihn los, hab ihn wieder, drück nochmal auf die Tube, da routiert er im Bach, aber auch ich bin kurz vorm Badengehn; weiß wirklich nicht mehr, wie ich die Mühle hochbekommen habe . . ."

Natürlich sind die Schüler begeistert, zumal der hochdekorierte Luftwaffenleutnant Einlagen bietet, humorvoller Art, wie die des Staffelhundes Alex, der das Abspringen mit dem Fallschirm lernen mußte, oder die Geschichte von dem Obergefreiten, der bei Alarm immer zu spät aus den Wolldecken kam und mehrmals im Schlafanzug seine Einsätze fliegen mußte.

Nur Mahlke spendet keinen Beifall in Richtung Katheder.

b) Der U-Boot-Kommandant

Im Sommer 1942, am Sonnabend vor den großen Ferien, hält der zweite Ritterkreuzträger, ein U-Boot-Kommandant und ebenfalls ein früherer Schüler der Anstalt, seinen Vortrag. „Er mag etwa vierunddreißig sein Abitur gemacht haben. Man sagte ihm nach, er habe, bevor er zur Marine ging, ein bißchen Theologie und Germanistik studiert. Ich kann nicht anders, und muß seinen Blick feurig nennen. Dichtes, womöglich drahtiges Kraushaar, Richtung Römerkopf. Kein U-Boot-Bart, aber dachartig vorstehende Augenbrauen. Ein Mittelding zwischen Denkerstirn und Grüblerstirn, daher keine Querfalten, aber zwei steile, von der Nasenwurzel aufstrebende, immerzu Gott suchende Linien. Zierlich und scharf die Nase. Der Mund war ein weichgeschwungener Sprechmund ...
Der Kapitänleutnant auf dem Podest saß leicht beengt zwischen dem alten Studienrat Brunies, der wie immer ungeniert Bonbons lutschte, und Dr. Stachnitz, unserem Lateinlehrer ... Er starrte mürrisch ins Publikum, die Kaleu-Mütze korrekt auf parallel gehaltenen Knien. Handschuhe unter der Mütze. Ausgehuniform. Das Ding am Hals deutlich auf unerhört weißem Hemd ..."
Die Rede des Kapitänleutnants ist langweilig und farblos. Sie besteht im wesentlichen aus Aufzählungen statistischer Angaben, Übersichten, wie sie jeder Flottenkalender bietet. Dann folgen Phrasen, wie sie zur Genüge die Parteiorgane bieten: Mannschaft eine verschworene Gemeinschaft, Belastung der Nerven enorm, aber alles fürs Vaterland; es folgen Berichte über einige Feindfahrten, Angriffe, Versenkungen, immer wieder untermalt und belebt durch sehr farbenreiche lyrische Schilderungen der Stimmungen der See, Naturbeschreibungen, durchsetzt mit Bildern und Metaphern: „Blendend weiß schäumt auf die Hecksee, folgt, eine kostbar wallende Spitzenschleppe, dem Boot, das gleich einer festlich geschmückten Braut, übersprüht von Gischtschleiern, der todbringenden Hochzeit entgegenzieht." Oder: „Solch ein Unterseeboot ist wie ein Walfisch mit Buckel, dessen Bugsee dem vielfach gezwirbelten Bart eines Husaren gleicht." Noch peinlicher und schier unerträglich ist es, wenn der Kaleu Sonnenunter-

gänge auszupinseln beginnt; offensichtlich versucht er durch seine kitschigen lyrischen Darstellungen seinen früheren Deutschlehrern zu imponieren, denen er wohl einstmals Schulaufsätze in dieser Art geliefert haben mag; bei den Schülern kommt sein Vortrag jedenfalls nicht an, Mahlkes Kniekehlen klemmen Mahlkes Hände, und in diesen Augenblicken mag der Entschluß gereift sein, diesem bombastisch phrasenhaften Vortragenden das herausfordernde Ding am Hals zu klauen.

DER ORT DER HANDLUNG

Der Ort der Handlung ist Danzig und die Danziger Bucht. Der von der Insel Gotland kommende Germanenstamm der Goten hatte sich im 6. Jahrhundert vor Chr. an der Weichselniederung niedergelassen. „Sobald sie, aus den Schiffen steigend, Land betraten, gaben sie der Stätte nach sich den Namen: sie nannten sie Gothiskanza." Daraus ist später der Name Danzig entstanden. So berichtet der Geschichtsschreiber Jordanes. 1227 erhielt Danzig lübisches (Lübecker) Recht und wurde Stadt, 1308 kam es in den Besitz des Deutschen Ritterordens, schloß sich im 14. Jahrhundert dem Städtebund der Hanse an und entwickelte sich zu einer der mächtigsten und schönsten Städte des deutschen Ostens. In kühner Initiative erbaute um 1380 ein Meister Heinrich eine riesige Hallenanlage über kreuzförmigem Kathedralen-Grundriß, das einzigartige Gebilde der Marienkirche. Ihr mächtiger, massiver Turm wachte über den herrlichen gotischen Backsteinhäusern, den Speichern und Hafenanlagen der hanseatischen Patriziergeschlechter. Aber das eigentliche Antlitz gab dieser Stadt des alten deutschen Patriziats erst das 16. bis 17. Jahrhundert. Danzigs Gestaltungskraft erwachte im Frühbarock. Damals begann man den Langen Markt und die Frauengasse mit herrlichen Giebeln zu schmücken und die berühmten Beischläge zu errichten. Der einzigartige Artushof mit dem Neptunsbrunnen davor, das Zeughaus und Rathaus waren Höhepunkt dieser an Bautätigkeit so reichen Epoche. Das Krantor war das Symbol der weltweiten Handel treibenden hanseatischen Kaufmannschaft. Immer wieder hatte Danzig seine Eigenständigkeit und Freiheit betont. Es besaß eigenes Militär, eigene Kriegsschiffe, eigene Verwaltung und Gerichtsbarkeit, eigene Münzhoheit und freie Verfügung über Häfen und Zölle. Weder Polen noch Preußen hatten ein absolutes Recht in der Stadt. 1793 kam dann Danzig zu Preußen. Erst 1920 wurde Danzig durch den Versailler Vertrag gegen den Willen seiner Bevölkerung von Deutschland abgetrennt und zu einer „Freien Stadt" erklärt, die aber einem Kommissar des Völkerbundes unterstellt war. Diese „Danziger Frage" trug auch wesentlich mit zum Ausbruch des Zweiten Weltkrieges bei.

Nach Eroberung durch die Sowjets wurde Danzig 1945 auf Grund des Potsdamer Abkommens unter polnische Verwaltung gestellt. Die Polen begannen sofort, die alteingesessene deutsche Einwohnerschaft zu vertreiben und die Stadt Danzig mit ihren Vororten ihres deutschen Charakters zu entkleiden. Sie richteten eine Wojewodschaft Gdansk ein, die ihrem Umfang nach dem früheren westpreußischen Regierungsbezirk Danzig entspricht, also das Gebiet der Freien Stadt Danzig überschreitet. „Diese Maßnahmen bedeuten nicht nur einen Bruch des Potsdamer Abkommens, sondern auch eine Mißachtung des nach dem Ersten Weltkrieg von fast allen Nationen garantierten Status Danzigs als einer Freien Stadt. Diesen Rechtszustand hatte auch Polen selbst durch die Unterzeichnung der Abkommen von Paris und Warschau völkerrechtlich bindend anerkannt, zwei Abkommen, die 1920 bzw. 1921 zwischen der Freien Stadt Danzig und der Republik Polen abgeschlossen wurden." (Herbert Marzan, Danzig heute in: Merian IV/7).

Der Erzähler der Geschichte von „Katz und Maus", Mahlkes Mitschüler Pilenz, findet es albern, daß Hochwürden Gusewski einen Antrag auf Namensänderung stellt und sich Hochwürden Gusewing nennen läßt. „Die Mode der Germanisierung polnisch klingender Namen machten damals viele mit: aus Lewandowski wurde Lengnisch, aus Olczewski wurde Ohlwein usw." Dies geschah unter dem Einfluß des Nationalsozialismus und seiner

Germanisierungsbestrebungen. Wenige Jahre später erfolgte der wesentlich drastischere Rückschlag: zur Polonisierungspolitik gehört auch die Umbenennung der alten deutschen Ortsnamen, zum Teil durch einfache Polonisierung, zum Teil durch neue polnische Namen. So wurde z. B. aus

Danzig	=	Gdansk
Langfuhr	=	Wrzeszcz
Brösen	=	Brzezno
Oliva	=	Oliwa
Zoppot	=	Sobot
Mariensee	=	Przwidz

Langfuhr, der Wohnsitz Joachim Mahlkes, liegt 4 km nordwestlich von Alt-Danzig entfernt; Brösen mit Seesteg, Herren- und Damenbadeanstalt, Kriegerdenkmal und dem vor der Küste liegenden Wrack des abgesoffenen polnischen Minensuchbootes „Rybitwa" etwa 4 km nördlich von Langfuhr.

DIE ZEIT DER HANDLUNG

Die Novelle „Katz und Maus" ist eine Erinnerungsnovelle, d. h. der in Westdeutschland lebende, etwa 33 Jahre alte Sekretär im Kolpinghaus, Pilenz, erzählt im Jahre 1960 – in dieser Zeit ist die Novelle auch tatsächlich entstanden und von Günter Grass niedergeschrieben worden – die Geschichte seines Mitschülers und Freundes Joachim Mahlke, die sich zwischen dem Sommer 1940 und Sommer 1944 in Danzig, Langfuhr, Brösen, Oliva und in der Danziger Bucht zugetragen hat.

Den zeitgeschichtlichen Hintergrund bildet die Zeit des Zweiten Weltkrieges und des Nationalsozialismus. Sie beherrscht das Geschehen, das ohne diesen Hintergrund gar nicht möglich wäre. Sie bestimmt das Denken und Fühlen der Jugendlichen und Erwachsenen und prägt auch in sprachlicher Hinsicht die Aussage der Novelle. Viele charakteristische Ausdrücke dieser Zeit vermitteln ihre Atmosphäre. So z. B. die Wörter Arbeitsdienst, Bezugsschein, Feldpostbrief, Fliegerhorst, Führerhauptquartier, Fronteinsatz, Frontleitstelle, Gefallenenehrung, Hitlerjugend, Jagdflieger, Jungvolk, Jungzugführer, Kapitänleutnant, Kommandant, Kriegsschauplatz, Krimschild, Kriegshilfsdienst, Luftwaffe, Luftwaffenhelfer, Minensuchboot, Notabitur, Organisation Todt, Panzer, Panzerjacke, Reichsarbeitsdienst, Sondermeldung, Zivildienst und andere mehr. Geographische Namen, die im Zweiten Weltkrieg eine besondere Rolle spielten und in aller Munde waren, umschreiben den weiten Horizont des Kriegsgeschehens: Asowsches Meer, Atlantik, Baltikum, Charkow, Dardanellenfeldzug, Eismeer, El Alamein, Guadalcanar, Griechenland, Karelien, Kreta, Krim, Korallenmeer, Kuban, Murmanskroute, Nordafrika, Tucheler Heide und andere. Dazu kommen bestimmte Bezeichnungen von Waffengattungen und Kriegswaffen: Aviso „Grille", Czaika-Klasse, Ju 52, T 34, U-Boot-Mine, Wolf-Klasse usw. usw.

DIE VERSCHIEDENEN SPRACHEBENEN IN DER NOVELLE „KATZ UND MAUS"

In der Novelle „Katz und Maus" begegnen uns verschiedene Sprachebenen, die durch das Wesen der Personen, auf die sie sich beziehen, bedingt sind.

So sprechen z. B. die im Mittelpunkt der Novelle stehenden **Gymnasiasten** des Conradinums die milieubedingte Pennälersprache; es ist ein lässiger, schnoddriger Jargon, der mitunter ziemlich kräftig ins Ordinäre ausartet. In ihrer Vorliebe für drastische Ausdrücke und „Sauereien" suchen sie sich selbst zu übertreffen. Hier einige Beispiele für diese Sprache der Flegeljahre und Pubertätszeit:

„Der hat nen Tick, sag ich."

„Mensch, prima! Mach du jetzt mal, Atze."

„Kommt nicht in die Tüte."

„Wer ihm nachschwimmt, bekommt die Eier poliert."

„Bei euch piept's wohl!"

Auch **Tulla Pokriefke** bedient sich dieser direkten, unverblümten Alltagssprache. Ihre Sprechweise ist abgehackt, geradezu, führt nicht alles, was sie denkt, aus, ist aber nichtsdestoweniger unmißverständlich:

„Mach doch mal! Wer hat heut noch nicht? Du bist jetzt dran!"

„Kannste das auch? Oder kannste das nich? Willste nich? Darfste nich?"

„Nimmste mich mal mit runter? Möcht wetten, da is nochen Toter unten. Wer mir den hochbringt, der darf mal!"

Betont jungenhaft gibt sich auch **der erste der beiden Ritterkreuzträger,** der in der Aula des Gymnasiums einen Vortrag hält. Er spricht im Stil der Pennäler und gewinnt dadurch sofort ihre Zuneigung.

„Nun müßt ihr nicht denken, das läuft wie ne Karnickeljagd, mit drauf und los und hastenichjesehn."

„Na, wie ihr seht, er mußte in den Bach, drück nochmal auf die Tube, aber auch ich bin kurz vorm Badengehen . . ."

Eine andere Sprachebene ist diejenige, auf der sich der Direktor des Gymnasiums, **Oberstudienrat Klohse,** und der zweite der Ritterkreuzträger, die einen Vortrag in der Aula halten, der U-Boot-Kommandant, bewegen: ihre Sprachelemente sind die Phrase und der Kitsch.

Oberstudienrat Klohse bedient sich der klischeehaften Wortschablonen des Parteijargons und einer patriotischen Rhetorik, deren Unechtheit peinlich wirkt. Der stereotype Konformismus seiner Ausdrucksweise spiegelt sich in den uniformen Wortkonglomeraten wider, die sozusagen ihres Eigenlebens beraubt sind und als ganzheitliche redensartliche Schemata erscheinen: „Undindieserstunde — Wandererkommstdu — Jenedienachunskommen — Dochdiesmalwirddieheimat — Undwollenwirnie —

flinkzähhart — Undwernichtdersoll — sagteschon — Setzetnichtlebenein niewirdeuchlebengewonnensein — Undnunandiearbeit;"
Phrasenreich sind auch die Worte des **U-Boot-Kommandanten,** die im Gegensatz zu dem parteipolitischen Redeschwall des Direktors sich durch eine Aneinanderreihung hochpoetischer, kitschiger Stilblüten und schwülstiger Metaphern auszeichnen, die bei den Schülern infolge ihrer Lächerlichkeit eine unbeabsichtigte Heiterkeit erregen:

„Solch ein Unterseeboot ist wie ein Walfisch mit Buckel, dessen Bugsee dem vielfach gezwirbelten Bart eines Husaren gleicht."
„Blendend weiß schäumt auf die Hecksee, folgt, eine kostbar wallende Spitzenschleppe, dem Boot, das gleich einer festlich geschmückten Braut, übersprüht von Gischtschleiern, der todbrin genden Hochzeit entgegenzieht."

„Und bevor die atlantische Nacht wie ein aus Raben gezaubertes Tuch über uns kommt, stufen sich Farben, wie wir sie nie zu Hause, ein Orange geht auf, welch ein fremdartiges Geleucht über der blutvoll rollenden See!"

Im ostpreußischen Dialekt, wie er von der Bevölkerung Danzigs gesprochen wurde, reden **Mahlkes Tante und die Schuljungen,** die den Ritterkreuzträger Mahlke um Autogramme bitten.
So sehen wir, daß die sprachlichen Aussagen in dieser Novelle stark differieren und die jeweiligen Personen, denen sie in den Mund gelegt sind, treffend charakterisieren.

DIE NOVELLE „KATZ UND MAUS“ – EIN JUGEND-PSYCHOLOGISCHES WERK

Die Novelle „Katz und Maus“ ist in erster Linie ein jugendpsychologisches Werk. In ihr wird das Verhalten Jugendlicher im Zustand leiblicher und seelischer Pubertät geschildert. Während der Jugendliche erwachsen wird, verliert er bekanntlich die Sicherheit, auf die er sich vor der Pubertät hat verlassen können. Er wächst rascher als früher; er wird geschlechtlich reif, hat sich mit neuen Triebkräften auseinanderzusetzen. Seine schwierigste Aufgabe ist es wohl, unter dem Druck dieses Entwicklungsschubes sich mit der Umwelt zu arrangieren, in und außerhalb der Familie neue Beziehungen zu schaffen, sein Ich mit seiner eigenen Tiefenseele und der Außenwelt zu koordinieren, eine soziale Rolle zu finden. Bei diesen Bemühungen durchlebt der Jugendliche viele, oft schwere Krisen, während der er Angstgefühlen, Depressionen, Selbstmordgedanken oder einem überschäumendem Protzentum und Übertreibungen aller Art verfällt.

Anhand eines jugendpsychologischen Werkes, Ernst Ells „Die Jugendlichen in der seelischen Pubertät“, mag sichtbar werden, wieviele Motive und Charakteristika der pubertätsbedingten jugendpsychologischen Entwicklung in die Novelle „Katz und Maus“ eingeflossen sind.

Ell S. 37: „In der seelischen Pubertät bemühen sich die Jugendlichen, der Wesenseinmaligkeit auch im Erscheinungsbild der Seele einen einmaligen Ausdruck, ein ganz persönliches Wie zu verleihen. Darum beginnen die jungen Menschen jetzt, ihrem Verhalten eine Form zu geben. Sie wollen sich nach ihrem eigenen Stil kleiden, sich eine persönliche Note geben ..., die Sprechweise wird bei den Jungen übertrieben mannhaft ... Jugend ist nicht die Zeit der Ausgeglichenheit, sondern der Übertreibung. Man muß geradezu erwarten, daß dieses Bemühen um Selbstdarstellung immer um eine Idee zu stark ausfällt und daher „verrückt, „närrisch“ oder „pathetisch“ erscheint.“

Welche Züge, die wir an Joachim Mahlke und seinen Kameraden beobachten, bestätigen diese Feststellungen?

Ell S. 40: „Das Ich-Selbst als Faktum und Aufgabe ist der Schnittpunkt zweier Unendlichkeiten: der äußeren Unendlichkeit „Welt" und der inneren Unendlichkeit „Seele", die als Tiefenseele weit mehr ist als das seiner selbst bewußt gewordene Ich-Selbst. „Welt" und „Tiefenseele" wirken auf das Ich-Selbst ein und erleiden von diesem auch Einwirkungen."

Wo treten diese Beziehungen im Wesensbild Joachim Mahlkes zutage und wie bewältigt er sie?

Ell S. 56: „Eine Grundstimmung in der seelischen Pubertät ist die Zukunftsfreudigkeit. Die jungen Menschen leben in einem Drang nach vorwärts, in einem Verlangen nach ihrem „eigentlichen" Leben, das erst in der Zukunft möglich ist . . ."
Wie äußert sich das Verlangen nach dem „eigentlichen" persönlichen Leben und die Zukunftsfreudigkeit bei Mahlke und den Mitgliedern seiner Gruppe?

Ell S. 57: Stark macht sich eine familiäre Verdrossenheit bemerkbar. „Die Seele der Jugendlichen emigriert immer mehr. Sie versuchen die Zeit, welche sie im Elternhaus zu verbringen haben, möglichst zu verringern. Ihre Gedanken sind in einer anderen Welt . . . Anders ist die Stimmungslage, wenn sie den familiären Kreis verlassen haben und in den der Kameraden eingetreten sind." Dann versucht man die Probleme zu diskutieren, die einen brennend interessieren und die Fragen zu lösen, auf die man im Elternhaus keine Antwort erhält.

Wo schaffen sich die Jugendlichen der Novelle „Katz und Maus" ihre eigene Welt? Wie ist ihr Verhältnis zu ihren Eltern und Lehrern, zu den Erwachsenen schlechthin?

Ell S. 60: In der Pubertät besteht eine starke Neigung zu gesteigerten Erregungsformen, zu Lachekstasen einerseits und

Niedergeschlagenheit andererseits. Ferner eine Neigung zum Verbergen der Gefühle, die sie nach außen hin in keiner Weise preisgeben wollen. Schließlich besteht die Möglichkeit von Widersprüchen in den erlebten Gefühlen. Das für Jugendliche typische Grunderlebnis ist die Zerrissenheit der Seele, ist die Feststellung: „Ich bin ein Mensch mit seinem Widerspruch." Daraus resultiert häufig das Gefühl der inneren Vereinsamung, des Nicht-mehr-Geborgenseins und Nicht-mehr-verstanden-Seins. Dies bezieht sich nicht nur auf Eltern und Erzieher, auch im Freundeskreis, in Lagern und Freizeiten kann man beobachten, wie sich einzelne Jugendliche dann und wann ausscheren, um eine Zeitlang mit sich allein zu sein, um etwas „durchzudenken", „weil sie etwas mit sich allein auszumachen haben." Aus dem Leiden an der Vereinsamung erklärt sich dann auch die immer wieder durchbrechende Sehnsucht nach einem Freunde oder nach einem Wesen, das einem gehört und bei dem man Verständnis findet. Können diese Ausführungen durch entsprechende Beispiele aus der Novelle „Katz und Maus" belegt werden?

Ell S. 80: „In der Jugendzeit ist das Aufbrechen der Seele zu schöpferischen Ideen von großer Bedeutung, und zwar ohne Rücksicht auf das Niveau. Es ist wichtig, daß die jungen Menschen etwas haben, wofür sie schwärmen, sich begeistern, ihre Kräfte einsetzen und messen."

Sind derartige Einsätze bei Mahlke und seinen Kameraden zu finden?

Ell S. 89: „Wenn der Durchbruch zum Ich-Selbst das Hauptthema der seelischen Pubertät ist, so wird verständlich, daß die reflexiven Strebungen von besonderer Stärke sein werden, weil das Ich-Selbst immer mehr zur Mitte der jungen Person werden soll und diese sich selbst als Mitte der sie umgebenden Welt fühlt. Diese Tendenz nennt man Egozentrik. Sie darf nicht mit Egoismus verwechselt werden, der darin besteht, daß jedes Tun nur dem eigenen Nutzen dienen muß. Die Egozentrik äußert sich im Geltungsstreben und im Eigenwertstreben. Das Geltungsstreben ist darauf gerichtet, im Werturteil der menschlichen Mitwelt einen möglichst hohen Rang einzunehmen. Als Geltungswerte erscheinen: Beachtung, Beifall, Ruhm, Ehre, Lob, Anerkennung, Bewunderung, Respekt, auch Neid. Im Unterschied zum Geltungsstreben geht das Eigenwertstreben des Menschen dahin, ihm vor sich selbst ... einen möglichst hohen Rang zu geben. Das Geltungsstreben enthält immer eine Forderung an die Umwelt. Das Eigenwertstreben dagegen stellt eine Forderung des Menschen an sich selbst dar."

Wie äußert sich Joachim Mahlkes Egozentrik? Wie sein Geltungsstreben und sein Eigenwertstreben? Warum stiehlt er das Ritterkreuz des U-Boot-Kommandanten, warum erwirbt er später selber eins?

Ell S. 98: Typisch für den Zustand der seelischen Pubertät ist das gedrückte Selbstgefühl ... Jugendliche haben immer Angst, man könnte ihnen ihre Schwäche ansehen: an den Augenrändern, an den Fingern, am schlechten Aussehen. So entstehen Neurosen und Psychosen. Man versucht äußere Mängel oder die innere Not durch Perfektion zu verbergen. Das Verdecken der Mängel oder der inneren Not geschieht – außer durch das oft saloppe Verhalten – durch das Präsentieren perfekter Ichs: die Jugendlichen wollen zeigen, was sie sind und was sie leisten können. (In dieser Leistungssucht steckt ein gesunder Kern: das Streben nach Selbstbestätigung, Selbstbehauptung, Selbstsicherung, Selbsterweiterung.)

Wie versucht Joachim Mahlke äußere Mängel (den übergroßen Adamsapfel, den Knorpel) zu verbergen? In welcher Weise zeigen er und seine Kameraden, was sie sind und was sie können? Ist ihr „Präsentieren der Perfektion" richtig?

Ell S. 109: „Jugendliche leiden besondere Qualen, wenn sie in ihrer Naturausstattung Mängel entdecken, zumal wenn sich diese nicht beheben lassen. Der Selbst-Stolz, die innere Sicherheit wird sehr stark beeinflußt von diesem Zufrieden- oder Unzufriedensein mit dem eigenen Leibe. Körperliche Kleinheit ist nur einer der möglichen Mängel. Die jungen Menschen entdecken sehr viele, wenn sie, vor dem Spiegel stehend, sich betrachten, besonders wenn sie ihrer Mängel wegen gehänselt worden sind."

Wie ist folgende Äußerung Mahlkes Pilenz gegenüber zu beurteilen?

„Konnte mich einfach nicht an das Ding da (an den übergroßen Adamsapfel) gewöhnen. Dachte, das ist eine Art Krankheit, dabei ist das vollkommen normal. Kenn Leute oder hab welche gesehen, die noch größere haben, ohne sich groß aufzuregen."

Hat Mahlke jetzt einen anderen Zustand der Reife erreicht?

Ell S. 116: „Die Zeigelust (der Exhibitionismus) findet in der leiblichen Pubertät eine starke Aufgipfelung. Es ist nicht selten, daß sich die Flegel gegenseitig zeigen, auch Jungen und Mädchen gegenseitig, von einem Drange getrieben, dem sie in verführerischen Situationen fast willenlos ausgeliefert sind. Darum werden bestimmte labile Typen auch leicht zu Opfern homosexueller und Mädchen dieses Alters zu Opfern sexueller Verführer, weil eigener Drang der Verführung entgegenkommt ... Vorversuche zur Selbstbefriedigung gehören schon in die Zeit der leiblichen Pubertät, also noch bevor ein Samenerguß überhaupt möglich ist. Ferner spielt sehr stark das Gerede der Kameraden und infolgedessen die Neugier herein, ob bei einem selbst auch schon, wie bei den Kameraden, „etwas herauskommt". Wird dann die Geschlechtsreifung tatsächlich erreicht, dann gehen die Vorversuche geradlinig über in die vollendete Selbstbefriedigung mit Orgasmus und Samenerguß."

An welchen Stellen der Novelle „Katz und Maus" ist von derartigen Exzessen die Rede? Wie verhält sich Joachim Mahlke? Warum läßt er sich gegen seinen eigentlichen Willen herausfordern?

Ell S. 156: „In der leiblichen Pubertät geht es den Jugendlichen vor allem um das Quantitative, um den höchsten oder weitesten Sprung, um den schnellsten Lauf, um die Zahl der Tore. Die leibliche Pubertät ist die Zeit der Horde. Spiele und Wettbewerbe werden in der Gruppe ausgeübt. Erst in der seelischen Pubertät stoßen die Jugendlichen zu ihrer eigenen Persönlichkeit durch; sie können daher nicht mehr ganz in die Gruppe ein- und in ihr aufgehen."

Welche „Wettbewerbe" finden in Mahlkes Gruppe statt? Inwiefern verwahrlost die Gruppe zur Horde, die einer sexuellen „Olympiade" frönt? Die aufsichtslosen Jugendlichen haben sich auf dem Wrack des Minensuchbootes weit draußen vor der Küste einen nur ihnen zugänglichen, von Erwachsenen unbeobachteten Bezirk für ihre verbotenen Spiele gesucht. Welche Bedeutung läßt sich der Tatsache zuweisen, daß die Gruppe auf einem Wrack sich trifft?

Ell S. 162: „Geistiges Leben beginnt dann, wenn sich der Mensch dem Sein nicht mehr unter dem Aspekt der Nützlichkeit, Brauchbarkeit, Verwendungsfähigkeit zuwendet, sondern um dessen Werthaftigkeit zu erfassen, und zwar in erster Linie jene Werte, die vor jeder Besonderung allem Sein zukommen: die Transzendentalien . . ."

Die Frage, die im Mittelpunkt des metaphysischen Interesses der Jugendlichen steht, ist die Frage nach dem Sinn des Daseins. Hat unser Dasein einen Sinn und worin besteht dieser Sinn? Das Menschsein ist nicht ein „Sein zum Nichts", sondern – so will es jedenfalls die gesunde optimistische Auffassung der Jugend – ein „Sein zum Wert". Daß dabei religiöse Fragen eine große Rolle spielen, versteht sich von selbst; es ist der Entwicklungspsychologie bekannt, daß gerade Pubertierende um religiöse Probleme ringen und Fragen nach dem Leben und Tod des Menschen unaufhörlich zu diskutieren pflegen.

Ell S. 134: „Schließlich sei auch auf die Bedeutung eines regen und regelmäßigen religiösen Lebens hingewiesen; aber nicht auf ein solches, das den Jugendlichen von den Eltern oder Erziehern oder von einer Institution oder Hausordnung verordnet wird. Helfende Kraft hat nur ein religiöses Leben, das aus eigenem Entschluß bejaht wird."

Vergleiche hiermit folgende Stelle aus der Novelle „Katz und Maus“:

„Mahlke sprach betont sachlich vor sich hin: Problematisches, das ihn und zum Teil auch mich in jenem Alter beschäftigen mochte. Etwa: Gibt es ein Leben nach dem Tode? Oder: Glaubst Du an Seelenwanderung? Mahlke plauderte: „Ich lese neuerdings ziemlich viel Kierkegaard. Später mal mußt Du unbedingt Dostojewski lesen. Da wird Dir eine Menge aufgehen ...

Natürlich glaube ich nicht an Gott. Der übliche Schwindel, das Volk zu verdummen. Die einzige, an die ich glaube, ist die Jungfrau Maria. Deshalb werde ich auch nicht heiraten ...“

PSYCHOLOGISCHES GUTACHTEN ÜBER DEN FALL JOACHIM MAHLKE

(Dr. Emil Ottinger, Zur mehrdimensionalen Erklärung von Straftaten Jugendlicher am Beispiel der Novelle „Katz und Maus“ von Günter Grass in: Monatsschrift für Kriminologie und Strafrechtsreform, Heft 5/6, 1962, S. 175–183).

„Der Strafjurist, der Psychiater, der Gerichtsmediziner, der Kriminalpsychologe werden beim Lesen der Novelle fachlich angesprochen, sie finden wissenschaftliche Erkenntnisse bestätigt und künstlerisch verdichtet.“ Jede der beanstandeten Seiten der Novelle wird genau geprüft. Mit Recht fragt der Psychologe: „Wenn die Antragsbegründer bei bestimmten Stellen der Novelle ‚obszöne Reize‘ finden – ist damit erwiesen, daß durch dieselben Stellen ‚die Phantasie jugendlicher Leser negativ‘ belastet wird? Kann nicht viel eher behauptet werden, daß durch die drastische Realistik des Dichters, durch seinen deftigen, umgangssprachlichen Erzählerstil die sexuelle Sphäre von allem Schlüpfrigen, von allem Dumpfen, von allem Zwielichtigen und von allem

Schwülen entkleidet und damit dem jugendlichen Leser das Häßliche der nackten Triebhaftigkeit vor Augen geführt und so ein sexualmoralisch erwünschter abstoßender Effekt erzielt wird?" Besonders bemerkenswert ist, wie Dr. Ottinger schreibt, „die Ahnungslosigkeit der Antragsbegründer gegenüber dem wachsenden Problem einer epochalen biologischen Erscheinung, die seit Jahrzehnten der Gesellschaft aller zivilisierten Nationen mehr und mehr zu schaffen macht: es ist das Problem der Akzeleration, der partiellen Reifungsbeschleunigung der Jugendlichen."

„Der spillerige, steife, körperlich unproportionierte Schüler Joachim Mahlke ist in seinem konstitutionstypologischen Status ein lehrbuchmäßiger Leptosomer mit autistischer, sthenischer, anankastischer Schizoidie, ein eigenbrötlerischer Spaltsinniger mit verbissener Energie und einer Bereitschaft zu zwangshaften Verhaltensformen."

Am Schluß seines gewissenhaften Gutachtens erklärt Dr. Ottinger das von Grass gestaltete Schicksal des Gymnasiasten Joachim Mahlke aus der Sicht eines ebenso sachkundigen wie einfühlsamen Wissenschaftlers: „Mahlke ist auffällig frühreif. Das ist eine biologische Belastung. Er gerät in die Isolation, weil er mit dem Gehabe der Gleichaltrigen nicht mehr übereinstimmt. Das ist eine gemütsmäßige Belastung. Er wird angefeindet, weil er durch sein Anderssein das Klassenkollektiv provoziert. Das ist eine sozialpsychologische Belastung. Er muß auf Grund seiner Veranlagung strapaziöse und übertriebene Kompensationsversuche machen. Das ist eine konstitutionelle Belastung. Er gerät in einen anhaltenden und verschrobenen Kompensationszwang. Das ist eine neurotische Belastung. Er versucht durch Aggression die neurotische Belastung zu lösen. Das führt zu moralischer Belastung, nachdem die Gesellschaft repressiv geworden ist. Man verweigert ihm die Rehabilitierung aus nachgetragenen Affekten. Das wird zur existentiellen Belastung. Dieses Verlaufschema hat Grass in erzähltes Leben umgesetzt. Wenn er erschütternd zeigt, wie unter dem Druck dieser gehäuften Belastung ein jugendlicher Daseinswille bricht, dann dient diese Novelle der Kunst, weil sie derjenigen Wahrheit dient, die wir beim heutigen Stand unseres jugendlichen Wissens sehen können. Die Kunst dieser Novelle verdichtet Erfahrung und Ahnung, wie sie in fachlicher Zuständigkeit Oberschullehrer, Jugendpsychiater, Konstitutionsbiologen, Jugendstrafrichter, Kriminalsoziologen, Jugendseelsorger und Jugendpsychologen ausschnittweise haben. Um diese künstlerische Verdichtung zwingend zu machen, geht Grass in die Details. Es ist beste künstlerische und psychologische Methode, auch den unscheinbaren Tatbestand als vollrangig zu würdigen.

Schockierende Details schockierend zu benennen gehört zur gesellschaftlichen Funktion angriffiger Literatur. Grass greift nicht die jugendliche Sittlichkeit an, sondern die Erwachsenengesellschaft, die wegen hemmender Tabu-Vorstellungen ihre innerste Mitverantwortlichkeit für das Schicksal der Jugend nicht findet. Wer diese Mitverantwortung sucht, liest am Ende der Novelle, Seite 177, mit Nachdenklichkeit: ‚Denn was mit Katz und Maus begann, quält mich heute . . .' "

Soweit das Gutachten von Emil Ottinger.

GRASS' „KATZ UND MAUS" IM SPIEGEL DER LITERATURKRITIK

Günter Grass' „Katz und Maus" – ein komisches Buch?

Viele ausländische Kritiker finden „Katz und Maus" amüsant, zum Lachen und voller komischer Einfälle. In der deutschen Kritik aber liest man kaum etwas von dieser Eigenschaft des Werkes ... Ist das Komische wirklich ein wesentliches Element der Novelle?

Die Frage wird mit Ja beantwortet, „Katz und Maus" ist durch und durch komisch. Komik kennzeichnet nahezu alle Bestandteile der Novelle, und die Skala der sowohl in der Darstellungsweise als auch im Dargestellten vertretenen Spielarten des Komischen ist breit. „Katz und Maus" ist komisch als eine Geschichte aus dem zweiten Weltkrieg. Joachim Mahlke ist ein komischer Held, eine komische Figur und ein komischer Ritterkreuzträger. Die Sprache der Novelle ist komisch. Pilenz ist komisch in jeder seiner Funktion, als Erzählmedium, als fiktiver Erzähler und als Figur der Handlung. Die Charaktere sind komische Figuren, sei es durch ihre äußere Erscheinung, durch ihre Moral und Weltanschauung, durch ihr Verhalten oder durch ihre Ausdrucksweise. Komisch sind die einzelnen Ereignisse für sich und in ihren Verknüpfungen. Es gibt komische Motive, die komisch verwendet werden, komische Situationen, komische Dialoge, komische Gegenstände und Räume und auch Gegenstände und Räume in komischer Funktion. Komische Kombinationen und Beziehungen aller Art sind charakteristisch für die Novelle. Die Aufzählung könnte leicht weitergeführt werden. Nicht zuletzt ist die noch kurze Wirkungsgeschichte der Novelle schon voller Komik ...

Die Novelle verdient aber vor allem deshalb komisch genannt zu werden, weil ihr Held eine komische Figur ist. Joachim Mahlke ist sich dessen bewußt und will Clown werden. Pilenz teilt gleich zu Anfang mit, daß Mahlke eine komische Figur abgibt, und mit unermüdlichen Beschreibungen gelingt es ihm, dem Leser diesen Eindruck überdeutlich zu vermitteln.

Mahlke ist komisch, weil er häßlich ist: Er ist ein dürftiges Gespenst, schmächtig und schwächlich, aber krumm und grobknochig. Seine dünne lichtempfindliche, nach dem Tauchen körnige schrumpfende Haut zeigt immer frischen Sonnenbrand. Mahlkes Rücken ist eine streckenweise käsige, von den Schultern abwärts krebsrot verbrannte Fläche, der sich immer wieder beiderseits der reibbrettartig durchtretenden Wirbelsäule neuverbrannt die Haut schält. Nach dem Tauchen hat er gelbliche Lippen mit blauen Rändern und entblößt klappernde Zähne, oder er ist überhaupt bibbernd und bläulich. Er hat Knubbelknie, große, nach dem Schwimmen ausgelaugte Hände und lange ... gelbliche Nägel. Sein Adamsapfel, unter spitzem, kümmerlichem Kinn, ist so groß und beweglich, daß er Schatten wirft und selbständiges Leben zu haben scheint; bemerkenswerterweise hebt die Länge seines Geschlechtsteiles das sonst auffällige Hervortreten seines Adamsapfels auf und erlaubt einer, wenn auch bizarren, dennoch ausgewogenen Harmonie, seinen Körper zu ordnen. Er hat einen ausladenden, knubbeligen Hinterkopf, ebenfalls Schatten werfende Angströhren, diese zwei, vom siebten Halswirbel gegen den ausladenden Hinterkopf stoßenden Muskelstränge, und Ohren zum Schaumschlagen, die innere Bewegung anzeigen, indem sie durchsichtig und glasig oder hochrot anlaufen. Das Gesicht ist länglich mager, um die Backenknochen muskulös. Für das Aussehen des Mundes gibt Pilenz, da er sich nicht mehr richtig daran erinnern kann, zwei Versionen: Er ist sauer verkniffen, wie auf der Karikatur des Karel Soundso; oder er hat eine aufgestülpte, vorstehende Oberlippe, die seine beiden oberen Schneidzähne, die gleichfalls nicht senkrecht, sondern hauerartig schräg stehen, nie ganz verdeckt, so meint sich Pilenz zu erinnern, ist aber nicht sicher, ob er Mahlke und Tulla im besonderen Fall der Oberlippe verwechselt. Die Nase ist nicht auffallend groß, aber fleischig, bei kaltem Wetter schnell gerötet und von Mitessern besetzt. Er hat gerötete, meist entzündete Lider mit wenig Wimpern und grau oder graublaue, helle aber nicht leuchtende, auf keinen Fall braune Augen. Die oberen Augenlieder sind durchwirkt von rötlichen Äderchen, darüber sind leidend zur Nasenwurzel strebende Brauen. Seinem von Natur dünnen und haltlosen Haar gibt er mit

Zuckerwasser Festigkeit, dennoch steht es manchmal in verklebten Spießen um den zerstörten Mittelscheitel. Später, als er das Haar etwas länger trägt, fällt es ihm starr und kandiert... wie zwei steile Dächer über beide Ohren. Es ist vor allem sein ernster Mittelscheitel, den er sich kämmt, seit er immer mit triefendem Mittelscheitel aus dem Wasser tauchte, der ihm diese leidende und sanft entschlossene, wie von inwendigem Zahnschmerz durchtobte Erlösermiene gibt. Mahlke ist eine Ausgeburt von Häßlichkeit.

Viele von Mahlkes Auftritten sind clownig. Sie spielen zwischen den Auftritten der großen historischen Artisten, denen die Jungen beizuwohnen haben, und gefallen. Es klingt wie das klassische Flehen des Clowns, wenn Mahlke sagt: Nehmt mich doch mit. Ich schaff es bestimmt. Mit seinen Leistungen im Bereich des Normalen bleibt Mahlke ein Clown, so viel Bewunderung sie auch zeitlich finden mögen, immer wirkt er komisch und verkrampft. Selbst wenn er zwei Kniewellen mehr drehen lernt als Hotten Sonntag, so bleibt dieser doch der beste Turner mit allem, was diesen Typ von innen heraus kennzeichnet, denn es ist nicht die Zahl der Kniewellen, die ihn ausmachen. Auch als Ritterkreuzträger kann Mahlke nicht zum anerkannten Helden und Vorbild der Jugend werden, weil er zwar die Abschußzahlen, aber sonst nichts, weder den geforderten Geist noch die erwartete Erscheinung dazu hat. Nur an dem äußeren Verhalten seiner Mitschüler merkt Mahlke, wann es Zeit ist, seine Nummer zu ändern, wenn er nicht uninteressant werden will. Auch die pompöse Ernsthaftigkeit, mit der er sich bei der Olympiade anpaßt, ist clownig und der Situation gar nicht angemessen. Mahlkes Leistungen sind der zelebrierte Leerlauf; er imitiert die Form, ohne den Inhalt zu begreifen. Den über den Clownsanteil hinausgehenden Beifall, der ihn eine Weile zum Hauptartisten macht, verdankt er der ihm günstigen Zeitsituation: Die mit Ideen von Sinn und Nutzen überfütterten und gegängelten Jungen geben seinem sinnlosen Handeln den Sinn des Widerstands – Aber gerade das Sinnlose und bewußt Zerstörerische des tagelangen Umzugsspiels bewunderten wir –, den es für Mahlke aber kaum hat.

Mahlke hört ganz auf, ein Clown zu sein, als er über sich und seine Situation nachdenkt und sie begreift. Er erkennt dabei, daß er als ernsthafter Mensch, als Ritterkreuzträger, falsch am Platz ist, aber er kann nun nicht mehr in die Clownsrolle zurück. Er muß ganz von der Bühne abtreten und verschwinden. Die zurückgelassenen Knobelbecher erinnern an die zurückgelassenen Sandalen des Empedokles und machen Mahlkes Untertauchen zu einer Art Sühne für die Hybris des Clowns, der Ritterkreuzträger werden wollte.

Ingrid Tiesler

Mahlke und seine Gruppe

Die Anzahl der Gruppenmitglieder in Katz und Maus ist nicht genau zu bestimmen, hauptsächlich sind es sieben Figuren, die immer wieder hervortreten: Joachim Mahlke, Hotten Sonntag, Atze Esch, Tulla Pokriefke (das einzige weibliche Bandenmitglied), Schilling, der Nägelkauer, Winter, der „ganz gut singen kann" und schließlich Pilenz. Joachim Mahlke und Pilenz bilden durch ihre freundschaftliche Verbundenheit als Paar eine Kleinstgruppe, die im Vordergrund steht. Diese Freundschaft macht die dichterische Darstellung möglich, denn der Erzähler in der Ichform wird durch Pilenz repräsentiert. Mit Mahlkes Führungsanspruch gegenüber Pilenz beginnt auch seine Führerrolle in der Gruppe, von der noch des näheren gesprochen wird: „. . . und verlangte von mir ungeminderte Anteilnahme an seinem neuen Ritus." Diese Riten spielen für die Aktivität der Gruppe eine entscheidende Rolle. Zu ihrer Ausübung haben sie, Jungen und Mädchen im Alter von zwölf bis siebzehn Jahren, einen eigenen Raum: das Wrack eines Minensuchbootes, welches fünfundzwanzig Schwimm-Minuten vom Ufer des Meeres entfernt liegt. Harmlose Aktivitäten werden hier zu Ritualen, indem die Gruppe sie aufnimmt und kultiviert, bestimmte Formen ihrer Ausübung institutionalisiert. Eine solche Aktivität ist zu Anfang das Kauen und Spucken von Möwenmist:

Das Zeug schmeckt nach nichts oder nach Gips oder nach Fischmehl oder nach allem, was sich vorstellte: nach Glück, Mädchen, nach dem lieben Gott.

Weitere Aktivitäten, die sich in der Gruppe zu Riten herausbilden, sind Schwimmen und Tauchen, Onanieren in der Gruppe (wobei der Dichter nicht versäumt, auf die rituale Bedeutung des Onan-Kultes und auf die biblischen Darstellungen hinzuweisen) oder die Ausbildung bestimmter Hobbys wie die Schulung des Wissens über sämtliche Marine-Einheiten des Erdkreises, währenddessen die Einheiten, nach Nationalflotten geordnet, wie Gebete aufgesagt werden müssen — ein Hobby, welches im Zusammenhang mit dem räumlichen Bezirk der Horde steht.

Das Leben und Treiben dieser Gruppe ist konzentrisch um den Führer Joachim Mahlke dargestellt. Das Merkmal des überdimensional ausgebildeten Adamsapfels erzeugt in Mahlke jenen Minderwertigkeitskomplex, aus dessen Kompensation sich seine Führungsaktivität entwickelt. Wir beobachten diese Entwicklung als Leser aus dem Blickfeld der bereits existierenden Gruppe heraus, für die Mahlke anfangs nichts als eine komische Figur ist. Aus dem Gehänselten wird Schritt für Schritt der Alleskönner, Allesvormacher, Alleswisser. Indem er sich des Pilenz als der Schlüsselfigur der Gruppe bemächtigt, gelingt es dem Einzelkind und Halbwaisen, in seine Führerrolle hineinzuwachsen. Aus seinen schrulligen Kompensationsgegenständen (er trägt Schraubenzieher, Büchsenöffner und Medaillons aller Art am Halse, die seinen Adamsapfel verdecken oder zumindest von ihm ablenken sollen) werden schließlich Gruppenriten — so tragen eines Tages alle Gruppenmitglieder (und später die Jugend in ganz Deutschland) wollene Puscheln am Halse, wie Mahlke sie erfunden und als erster zur Schau getragen hat. Mahlke ist nicht Leistungsbester im Turnen, aber er erreicht durch seinen Mut den höchsten Leistungsdurchschnitt. Er kann anfangs nicht schwimmen, erlernt es aber mit beharrlichem Willen, bis er die anderen darin übertrifft. Besonders bildet er die Mode des Tauchens aus, denn darin besteht seine beste Fähigkeit. Nach seinem Vorsprung in der körperlichen Leistung erringt er auch geistig den ersten Rang in der

Schule; ferner im Bereich des Hobbys, wo zum Beispiel sein Wissen auf dem Gebiet der Marinekunde das aller anderen bestechend übertrifft:

„Später führte Mahlke auch in dieser Wissenschaft und sprach die Namen japanischer Zerstörer von der modernen, erst achtunddreißig fertiggestellten Kasumiklasse bis zu den langsamer laufenden Booten der im Jahre dreiundzwanzig modernisierten Asago-Klasse fließend und ohne Stocken aus, sagte „Humiduki, Satuki, Yuduki, Hokaze, Nadakaze und Oite."

Seine überzeugendste Leistung bietet Joachim Mahlke auf dem Gebiet der sexuellen Gruppenaktivität des Onanierens. Hier wartet er eines Tages einen günstigen Augenblick ab, tritt unvermutet und überzeugend hervor und erheischt die staunende und demütige Anerkennung der Horde, so daß es nach der Episode abschließend heißt:

„Diese Darbietungen hat Joachim Mahlke weder wiederholen noch überbieten müssen, weil keiner von uns, jedenfalls nicht nach dem Schwimmen und auslaugenden Tauchen, seinen Rekord erreichte; denn was wir auch taten, wir trieben Sport und achteten die Regel."

Von solchen Tönen zwischen den Zeilen her ist es begreiflich, welche besondere Note bei Grass die Darstellung von Aufstieg und Rückzug des Führers einer Gruppe hat: Mit seinem Rückzug enthüllt sich nach der Absicht des Autors unbarmherzig die Fragwürdigkeit der Führerrolle überhaupt. Sie ist eine Phase scheiternder Kompensation. Mahlke wird immer anhänglicher und immer abhängiger von Pilenz. Berichte von seinen Leistungen lassen die Gruppe nachträglich weiter staunen. In der Novelle wird Mahlke nur noch als abnormer Ehrgeizling weitergeführt, dessen Ritterkreuzerwerb seinen Untergang noch beschleunigt. Diese Leistung, die ihm einmal als die edelste Form der Kompensation des Adamsapfels erschien, offenbart sich ihm und seiner Mitwelt schließlich als die fragwürdigste. So bleibt ihm, seiner Lebensansicht entsprechend, nur der Weg in den selbstgewählten Tauchertod. Eine letzte Illusion begleitet die Tat, nämlich das Außerordentliche noch mit der Todesart bis zum letzten Augenblick durchgehalten zu haben ...

Alfred Söntgerath

Die Perspektive des Ich-Erzählers

Die Perspektive des Ich-Erzählers Pilenz ist von recht komplexer Struktur. Ihre wichtigsten Strukturmomente sind die Erzählhaltung, wie sie sich aus den Äußerungen des Erzählers über Erzählziel und Erzählantrieb ergibt, die Erzählsituation – die persönliche des Erzählers wie die politisch-gesellschaftliche seiner Zeit – und schließlich die persönliche Beziehung und Einstellung des Erzählers zu seinem Gegenstand, insbesondere zur Hauptfigur Joachim Mahlke.

Die Haltung des Erzählers tritt vielleicht am deutlichsten hervor, wenn wir sie von der des klassisch-realistischen Erzählers abzuheben versuchen. Während der ältere Autor – etwa in der Rolle des Chronisten – meist auch den Eindruck zu erwecken sucht, im Besitz der historischen Wahrheit zu sein, und dem Leser alle in seinem Werk aufgeworfenen Fragen zu beantworten scheint, gesteht der Erzähler der „Katz und Maus"-Geschichte seine Unwissenheit und Ungewißheit in mancherlei wichtigen Dingen freimütig ein. Dabei denken wir nicht einmal in erster Linie an das vorgebliche Scheitern seiner Bemühungen, nach dem Kriege Authentisches über das weitere Schicksal Mahlkes zu erfahren – derartiges wäre auch in älteren Erzählwerken denkbar –, weit charakteristischer erscheint uns jene fiktive Unsicherheit in der Deutung und Beurteilung der Hauptfigur, ihrer Denkungsart und ihrer Verhaltensweisen:

> Womöglich lag alles nur an dem Knorpel.
> Denn ich kann und will nicht glauben, daß Du jemals auch nur das Geringste ohne Publikum getan hättest.

> Die Rede des Leutnants bekam Dir wohl nicht.
> Du hast, glaube ich, dennoch nicht vorgehabt, die Funkerkabine in ein Marienkapellchen zu verwandeln.

Den prägnantesten Ausdruck findet dieser „Mutmaßungsstil" in der unmittelbar an den Freund gerichteten Frage, wie denn sein sonderbares Verhalten zu erklären sei:

> Die Anbeterei, war das Spaß ... aber das war wohl ernst gemeint, das Gebet auf dem Kahn – oder wolltest Du Spaß machen?

Hinter dieser Haltung des Fragens und Mutmaßens mag sich ebenso das Bewußtsein von der Rätselhaftigkeit menschlicher Existenz wie die Freude am Spiel mit der Maske des Unwissenden oder Halbwissenden verbergen. Ähnlich doppeldeutig erscheint auch die Auskunft über die Motivation des Erzählens: Sie bleibt in der Schwebe zwischen Scherz und Ernst, zwischen ironischem Spiel mit dem Gegenstand – ein romantisches Erbe! – und glaubhaftem Eingeständnis, von eben diesem Gegenstand nicht loszukommen, seinetwegen zum Schreiben gezwungen zu sein:

> Ich aber, der ich Deine Maus einer und allen Katzen in den Blick brachte, muß nun schreiben. Selbst wären wir beide erfunden, ich müßte dennoch. Der uns erfand, von berufswegen, zwingt mich, wieder und wieder Deinen Adamsapfel in die Hand zu nehmen, ihn an jeden Ort zu führen, der ihn siegen oder verlieren sah; und so lasse ich am Anfang die Maus über dem Schraubenzieher hüpfen, werfe ein Volk vollgefressener Seemöwen hoch über Mahlkes Scheitel in den sprunghaften Nordost, nenne das Wetter sommerlich und anhaltend schön, vermute, daß es sich bei dem Wrack um ein ehemaliges Boot der Czaika-Klasse handelt, gebe der Ostsee die Farbe dickglasiger Seltersflaschen, lasse nun, da der Ort der Handlung südöstlich der Ansteuerungstonne Neufahrwasser festgelegt ist, Mahlkes Haut, auf der immer noch Wasser in Rinnsalen abläuft, feinkörnig bis graupelig werden ...

Noch ein zweites Mal schlüpft der Erzähler in die Rolle des Homo ludens, wenn er den letzten Abschnitt der Novelle mit der an den Epilog von Brechts „Der gute Mensch von Sezuan“ erinnernden Frage einleitet: „Wer schreibt mir einen guten Schluß?“ So scheint der Erzähler, wo immer er dem Leser Einblick in seine Absichten und Antriebe gewährt, allein das Ziel zu verfolgen, das Fragmentarisch-Offene, Ironisch-Spielerische, Schwebend-Vieldeutige seiner Erzählhaltung nachdrücklich bewußt zu machen.

Werner Zimmermann

MATERIALIEN

IST GÜNTER GRASS' „KATZ UND MAUS" EINE NOVELLE?

Günter Grass bezeichnet „Katz und Maus" im Untertitel als eine Novelle. Was man unter einer Novelle versteht, ist in zahlreichen Definitionen dieser Gattung niedergelegt worden. Wir verweisen in diesem Zusammenhang auf den Band „Die Novelle" in der Reihe „Dichtung in Theorie und Praxis" (C. Bange Verlag Hollfeld, 1980), in dem Edgar Neis zahlreiche Definitionen zusammengestellt und die Theorie der Novelle anhand von Beispielen verdeutlicht hat. Einige dieser Definitionen — soweit sie auf Grass' „Katz und Maus" anwendbar sind — seien hier angeführt, um dem Leser dieses Werkes Gelegenheit zu geben, nachzuprüfen, ob es den Forderungen und dem Gattungsverständnis der Theoretiker standhält.

August Wilhelm Schlegel (1803):
So viel ist gewiß: die Novelle bedarf entscheidender Wendepunkte, so daß die Hauptmassen der Geschichte deutlich in die Augen fallen ... In der Novelle muß etwas geschehen ...

Johann Wolfgang Goethe (1828):
Was ist eine Novelle anders als eine sich ereignete unerhörte Begebenheit. Dies ist der eigentliche Begriff ...

Ludwig Tieck (1829):
Die Novelle soll sich dadurch hervorheben, daß sie einen Vorfall ins hellste Licht stellt ... Wesentlich ist die Wendung der Geschichte, der Punkt, von welchem aus sich sich unerwartet völlig umgekehrt, und doch die natürliche Folge entwickelt.

Paul Heyse (1871):
Die Novelle hat einen einzelnen Konflikt, eine sittliche oder Schicksalsidee darzustellen und die Beziehungen der darin handelnden Menschen zu dem großen Ganzen des Weltlebens nur in andeutender Abbreviatur durchschimmern zu lassen ... Eine starke Silhou-

ette dürfte dem, was wir Novelle nennen, nicht fehlen ... Gleichwohl könnte es nicht schaden, wenn der Erzähler sich zuerst fragen wollte, wo der „Falke" sei, das Spezifische, das die Geschichte von tausend anderen unterscheidet.

Theodor Storm (1881):
Die Novelle ist die Schwester des Dramas und die strengste Form der Prosadichtung. Sie verlangt einen im Mittelpunkt stehenden Konflikt, von welchem aus das Ganze sich organisiert.

Hermann Pongs (1929):
Die Novelle ist um einen Punkt zentriert, wie die Anekdote um die Pointe, nur ihrer tieferen Sinndurchdringung gemäß um ein symbolfähiges Element, ein Dingsymbol ...
Die Frage nach dem Falken erscheint als eine Kardinalfrage der Novellenform. Im Falken vollzieht sich die Verwandlung vom Zufälligen der Begebenheit in ein sinnhaltiges Geschehen, und sie vollzieht sich als Zusammenfall im Symbol. Das ist die Bedeutung des Falken von der inneren Formgebung her.

Johannes Klein (1936):
Jede Novelle hat ein Mittelpunkt-Ereignis. Im allgemeinen wird das Mittelpunktsereignis ein auffallender Vorgang sein.

Benno von Wiese (1956):
Das Charakteristische der Novelle liegt vor allem in der Beschränkung auf eine Begebenheit. Verzichtet man auf diese Bestimmung, so löst man die ganze Gattung auf.

Fritz Lockemann (1957):
Der Wendepunkt ist die konzentrierte Form, das ganze Gebilde ist nur seinetwegen da, alles Vorhergehende zielt auf ihn, alles Folgende bestätigt nur die eingetretene Wende: das schließt strengste Funktionalität alles Einzelnen ein ... Der Wendepunkt ist konzentrierter Gehalt, „unerhörte Begebenheit", das, was aus einer anderen Welt schicksalhaft in unsere einbricht.

Die konzentrierende Tendenz des Wendepunkts führt häufig zu einer Verdichtung in einem Symbol, das in der Theorie als „Falke" eine Rolle spielt. Aus demselben Grunde neigen die wirkenden, das Geschehen treibenden Kräfte zu symbolischer Verdichtung. Daß der Wendepunkt als solcher und damit die ganze Novelle eine Symbolfunktion hat, ergibt sich aus ihrer Sinnbeziehung zu einer Rahmensituation: diese wird von der Novelle symbolisch bewältigt.
Ist nun Günter Grass' „Katz und Maus" eine Novelle? Unter Bezugnahme auf die obigen theoretischen Definitionen der Gattung meint Volker Neuhaus (Günter Grass, Sammlung Metzler Band 179, Stuttgart 1979, S. 66 f.) Grass' „Katz und Maus" die Einfügung in die Tradition der Gattung zuerkennen zu können:
Wenn Grass das Werk im Untertitel *„Eine Novelle"* nennt, weist gerade der unbestimmte Artikel besonders deutlich auf die bewußte Einfügung in die Tradition dieser Gattung hin. Von den verschiedensten Theorien der Novelle her ist dieser Anspruch einzulösen: Grass spielt selbst auf Goethes Definition „Eine sich ereignete unerhörte Begebenheit" (zu Eckermann am 25. 1. 1827) an, wenn Oberstudienrat Klohse den im Mittelpunkt, im VII. von XIII Kapiteln, stehenden Diebstahl des Ritterkreuzes etwas „Unerhörtes" nennt. G. Kaiser weist darauf hin, daß „Katz und Maus" „wie die klassische Novelle (. . .) streng auf *Wendepunkte* hin erzählt" ist, was vor allem A. W. Schlegel und Tieck gefordert haben. Die „Wendepunkte" sind wiederum eng mit einem *„Dingsymbol"*, dem Ritterkreuz, verbunden, was ebenfalls für die traditionelle Novelle charakteristisch ist. Auch Heyses Novellentheorie kann zum Verständnis von Grass' Novelle sinnvoll herangezogen werden: „Wenn der Roman ein Kultur- und Gesellschaftsbild im Großen, ein Weltbild im Kleinen entfaltet (. . .), so hat die Novelle in einem einzigen Kreise einen einzelnen Konflikt, eine sittliche oder Schicksals-Idee oder ein entschieden abgegrenztes Charakterbild darzustellen und die Beziehungen der darin handelnden Menschen zu dem großen Ganzen des Weltlebens nur in andeutender Abbreviatur durchschimmern zu lassen". Diese Bestimmung erfaßt nicht nur das eigentümliche Verhältnis der Handlung in „Katz und Maus" zur Wirklichkeit der Welt, zu den Kriegsjahren, die den Hintergrund der Handlung abgeben, sondern auch zu den beiden zur selben Zeit spielenden Roma-

nen von Grass, die durch einzelne Anspielungen in Orten und Personen „in andeutender Abbreviatur durchschimmern". Zeitlich entspricht „Katz und Maus" als Mittelstück der gesamten Trilogie den mittleren Büchern der beiden Romane, die auch jeweils die Kriegszeit zum Hintergrund haben. Die Vorkriegszeit wird in der Novelle gar nicht erzählt, die Nachkriegszeit begegnet nur in wenigen Sätzen zur Erzählergegenwart — auch an der erzählten Zeit wird das Bemühen um Konzentration deutlich.

Heyses „einzelner Konflikt", der hier sogar mit der „Schicksalsidee" identisch ist, gibt der Novelle auch den Titel „Katz und Maus", und seiner Konkretisation im Adamsapfel Mahlkes verdankt sie jene — hier fast wörtlich zu verstehende — *„starke Silhouette"*, „das Spezifische, das diese Geschichte von tausend anderen unterscheidet", eben den *„Falken"*, wie Heyse diese Eigenschaft der typischen Novelle nennt, „in wenigen Worten vorgetragen", sich „dem Gedächtnis tief" einzuprägen. Inhaltliche und formale Konzentration entsprechen einander: In seinem Bau erweist sich „Katz und Maus" als *„Schwester des Dramas"*, wie Theodor Storm die Novelle genannt hat (Brief an Erich Schmidt, 13.9.1882). In sechs Kapiteln steigt die Handlung auf ihren Höhepunkt in Kapitel VII, wo Mahlke im Diebstahl des Ritterkreuzes die von ihm ersehnte „Erlösung" vorweg nimmt. Zugleich vollzieht sich darin die zunächst verdeckte Peripetie: Aus dem Diebstahl ergibt sich in den folgenden sechs Kapiteln geradlinig die Katastrophe, Mahlkes endlicher Erfolg, der tatsächliche Erwerb des Ritterkreuzes, ist von der Mitte der Novelle an schon als endgültiges Scheitern festgelegt.

Zur besseren Übersicht stellen wir die wichtigsten novellentypischen Merkmale der Novelle „Katz und Maus" zusammen.

Zunächst eine kurze Inhaltsangabe:

Der Gymnasiast Joachim Mahlke aus Danzig-Langfuhr versucht auf jede nur erdenkliche Weise, seinen riesigen Adamsapfel, der wie eine unruhige Maus auf- und abhüpft, zu verbergen, weil er nicht dem Spott seiner Mitschüler ausgesetzt sein will. Er bindet sich die absonderlichsten Dinge um den Hals, um von seinem „Schandmal" abzulenken: religiöse Amulette, Schraubenzieher, Dosenöffner, Grammophonkurbel, Leuchtplaketten, Wollpuscheln usw. Als aber ein berühmter U-Boot-Kapitän und Ritterkreuzträger in Mahlkes Schule einen Vortrag hält, stiehlt ihm Mahlke das Ritterkreuz, um es sich gleichfalls als Trophäe umzuhängen. Der Diebstahl wird entdeckt, Mahlke von der Schule verwiesen. Er wird Soldat, zerstört zahlreiche russische Panzer und wird selbst mit einem Ritterkreuz dafür ausgezeichnet. Auf Heimaturlaub kehrt er in seine alte Schule zurück und hofft, wie seinerzeit der U-Boot-Kapitän, vor ehemaligen Mitschülern einen Vortrag halten zu können. Schuldirektor Klohse und das Lehrerkollegium lehnen Mahlkes Wunsch wegen des seinerzeit begangenen Diebstahls ab. Ritterkreuzträger Mahlke wird somit gewissermaßen erneut von der Schule verwiesen. Innerlich zerstört, seines Triumphes beraubt, am Wert seiner Leistungen an der Front, für die er das Ritterkreuz erhielt, zweifelnd, will er nicht wieder an die Front zurückkehren; er will auf einem neutralen Schiff fliehen, versäumt seinen Zug, rudert zu einem alten Minensucher hinaus und versteckt sich in der nur durch Tauchen zugänglichen Funkkabine des Wracks. Aus diesem Schlupfwinkel kommt er nicht wieder hervor. Das Leben hat für ihn seinen Sinn verloren; gekränkt, gedemütigt verzichtet Mahlke darauf, in der Welt, die ein Katz- und Mausspiel mit ihm treibt, wieder „aufzutauchen“.

Novellentypische Merkmale:

1. „Unerhörte Begebenheit“ (Goethe):

Der im Mittelpuntk der Novelle stehende Diebstahl des Ritterkreuzes durch Joachim Mahlke, den Klohse als etwas „Unerhörtes“ bezeichnet.

2. Wendepunkt (Schlegel, Tieck, Lockemann):

Die „unerhörte Begebenheit“ des Ritterkreuz-Diebstahls duch Joachim Mahlke ist zugleich der Wendepunkt der Geschichte: alles Vorhergehende zielt auf ihn hin, alles Folgende ergibt sich aus dem Diebstahl: Mahlkes Verweisung von der Schule, sein Stolz auf ein selbsterworbenes Ritterkreuz, das ihn aber von einer erneuten „Verweisung“ nicht bewahrt, wodurch die „Katastrophe“ der Handlung ausgelöst wird.

3. Falke (Heyse, Pongs, Lockemann):

Als „Falke“ erscheint Mahlkes Adamsapfel, das auslösende und zugleich spezifische Moment der Novelle, welches das Katz- und Mausspiel zur Folge hat, was mit Mahlke getrieben wird und ihn schließlich in den Tod treibt. „Im Falken vollzieht sich die Verwandlung vom Zufälligen der Begebenheit in ein sinnhaltiges Geschehen“ (Pongs): Mahlkes Adamsapfel wird zum Sinnbild des unausweichlichen Schicksals des Menschen.

4. Dingsymbole (Pongs, Lockemann):

Mahlkes Adamsapfel: Symbol der Schicksalhaftigkeit des Menschen, der er durch Tarnung entfliehen sucht.
Ritterkreuz: Symbol der Tüchtigkeit und Tapferkeit, der Anerkennung durch die Welt, des „Glücks“ schlechthin.
Katze: Symbol des Verfolgers
Maus: Symbol des Verfolgten
Klohses Gymnasium: Symbol der geistigen Enge, des Spießertums, ein „muffiger, nicht zu lüftender Kasten“.
Jungfrau Maria: Symbol der Hoffnung, der Erlösung, der Transzendenz.
Lichtlose Funkkabine des gesunkenen Minensuchers: Ort der endgültigen Weltflucht, der Annulierung der eigenen Existenz.

5. Silhouette (Heyse):

Der Umriss der Geschichte hebt sich vor dem zeitbezogenen Hintergrund (Situation der Schule, Kriegsjahre, Stadt Danzig und Umgebung) silhouettenhaft ab: „Die Beziehungen der darin handelnden Menschen zu dem großen Ganzen des Weltlebens schimmern in andeutender Abbreviatur durch.“

6. Rahmensituation (Lockemann):

Günter Grass' „Katz und Maus" ist zwar nicht als Rahmennovelle im üblichen Sinn des Wortes zu bezeichnen (Umschließung einer Kernerzählung oder Binnenerzählung durch umgreifende, meist selbst erzählende Rahmenerzählungen), doch ist ein Rahmen durch die Einführung eines Erzählers (Pilenz) als Distanzierung von der Person des Autors (Günter Grass) gegeben, so daß sich gelegentlich eine in drei konzentrischen Kreisen ineinandergelagerte Erzählperspektive ergibt.

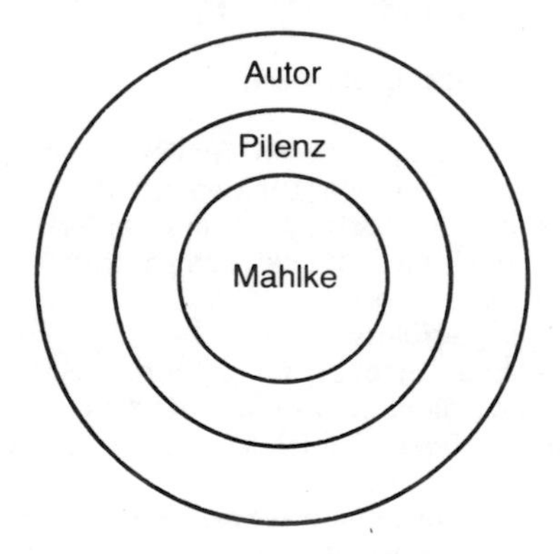

Anspielung auf den Autor: „Der uns erfand, von berufswegen, zwingt mich (Pilenz) . . .
Pilenz: „Doch soll nicht von mir die Rede sein, sondern von Mahlke und mir, aber immer im Hinblick auf Mahlke."
Mahlke: „Mein lieber Pilenz, Geduld, sage ich: in meinem Vortrag werden so ziemlich alle Probleme, die mit der Verleihung des Ritterkreuzes zusammenhängen, berührt und behandelt werden."

7. „Novelle — Schwester des Dramas" (Storm):

Nach der Exposition (Kapitel I), die gleichzeitig das Grundmotiv der Novelle, das Katz- und Mausspiel mit Mahlkes Adamsapfel anschlägt, haben wir eine ansteigende Handlung bis Kapitel VII. Dieses Kapitel (Diebstahl des Ritterkreuzes durch Mahlke) stellt den Höhepunkt der Entwicklung dar, leitet aber auch zugleich die Peripetie (Umkehr) ein.
Von Kapitel VII bis Kapitel XII (Verweigerung des Auftretens von Ritterkreuzträger Mahlke vor der Schülerschaft) haben wir eine fallende Handlung, die in Kapitel XIII in die Katastrophe (endgültiges Untertauchen und Verschwinden Mahlkes) einmündet.
Die Handlung entspricht also in ihrem Verlauf der Technik und dem Ablauf des fünfaktigen klassischen Dramas.
Zur Frage, ob Günter Grass' „Katz und Maus" eine Novelle ist, nehmen auch Ingrid Tiesler (Günter Grass, Katz und Maus, München 1971, S. 22) und Ulrich Karthaus („Katz und Maus" von Günter Grass — eine politische Dichtung, Der Deutschunterricht, Stuttgart 1971, Heft 1, S. 78 ff.) Stellung.
Ingrid Tiesler: „Günter Grass hat „Katz und Maus" eine „Novelle" genannt. Das Kernmerkmal der Novelle ist die Konzentration auf ein Ereignis, aus „eine sich ereignete unerhörte Begebenheit", auf den hörenswerten, exemplarischen Einzelfall. Sie bedingt den Ausschluß von Nebenhandlungen und allem, was zum Verständnis dieser Begebenheit notwendig ist. Vorgeschichte, Nachgeschichte, Darstellung der Charaktere einschließlich des Helden und des Erzählers sind auf ihren Beitrag dazu eingeschränkt. Ihr genügen auch die lineare, einstängige Handlung und die gereihten Motive und Motivkomplexe.
Das „unerhörte Ereignis" in „Katz und Maus" gipfelt in dem Verschwinden des Ritterkreuzträgers Mahlke unmittelbar nach seiner Dekorierung. Die Fabel strebt auf diese Pointe des Ereignisses am Ende der Novelle zu . . .
Besonders deutlich ist die Novellenstruktur an der Motiventwicklung zu sehen. Das Motivgefüge in „Katz und Maus" ist sehr kunstvoll. In diesem Zusammenhang sei nur auf zwei Züge daraus aufmerksam gemacht, die in besonderem Maße zum Novellencharak-

ter beitragen: die Ketten zentraler Motive und die Verflechtung von Nebenmotiven. Das Kernmotiv ist der einen Makel verdeckende Halsschmuck. Es greift von den verschiedensten Gegenständen bis zum gestohlenen und schließlich zum verdienten Ritterkreuz, das als Dingsymbol der Novelle ihre Tönung gibt. Als Parallelfigur zu dieser Reihe fungiert die Trillerpfeife des Studienrats Mallenbrand, die den Mangel echter Autorität verdeckt, als makelloses Gegenbild die Rettungsmedaille des Vaters . . .
Aus dieser motivischen Verzahnung bezieht der Novellenvorgang seine Überzeugungskraft; sie ruft den Eindruck des Unabwendbaren und Schicksalhaften hervor. Es ist, als liefe alles, wie es laufen muß, nach einem zwingenden Gesetz jenseits logischer oder psychologischer Oberflächenzusammenhänge.
„Katz und Maus" trägt den Untertitel „Novelle" zu Recht. Günter Grass hat vermittels der altmodischen, im 19. Jahrhundert beheimateten Novellenform ein modernes Lesepublikum erreicht. Welche Einsicht läßt sich daraus gewinnen? Es wird behauptet, daß die Novelle überholt sei, weil die strenge Ordnung eines Stoffes in einen knappen, sich sukzessive vorwärts bewegenden Erzählzusammenhang der Bewußtseinslage des 20. Jahrhunderts nicht mehr entspreche. Dabei wird übersehen, daß die Weise, Stoff, das heißt wahrgenommene Wirklichkeit, zu ordnen, heute wie eh und je gültig ist und Anwendung findet. Nicht sie, sondern der Stoffbereich hat sich verändert und erweitert. Auch der Begriff der „unerhörten Begebenheit" als solcher hat nicht abgewirtschaftet; nur sind heute nicht mehr dieselben Begebenheiten wie gestern unerhört und hörenswert."
Ulrich Karthaus: „Wir haben es mit einer „Novelle" zu tun. André Jolles hat in seiner Einleitung zu Boccaccios „Decamerone" deutlich gemacht, daß diese Gattung vom Ereignis und nicht von den handelnden Charakteren her gesehen werden muß. Sogar die berühmte Falkentheorie Paul Heyses kann man in „Katz und Maus" bestätigt finden; dieses „Spezifische, das die Geschichte von tausend anderen unterscheidet", ist jene von der Katze gejagte Maus, die Mahlke zu immer neuen Anstrengungen und Leistungen treibt . . .

Über Mahlkes Schicksal entscheidet der Vortrag: er entwendet den Orden des U-Bootkommandanten und wird deswegen von der Schule verwiesen. Wir stehen hier am Wendepunkt der Novelle, und zwar in ziemlich genauem Sinne von Tiecks Bestimmung. Er schreibt: „Diese Wendung der Geschichte, dieser Punkt, von welchem aus sie sich unerwartet völlig umkehrt, und doch natürlich, dem Charakter und den Umständen angemessen, die Folge entwickelt, wird sich in der Phantasie des Lesers um so fester einprägen, als die Sache, selbst im Wunderbaren, unter anderen Umständen wieder alltäglich sein könnte."
Natürlich handelt es sich in „Katz und Maus" nicht um eine romantische Novelle; das Element des „Wunderbaren" suchen wir — zumindest beim Diebstahl des Ritterkreuzes — vergeblich. . .
Der Impuls des Erzählens hat seine Wurzel mithin in der politischen Wirklichkeit der Nachkriegszeit. Die Novelle ist „Bewältigung der Vergangenheit".

Zur Frage der Novellenform von „Katz und Maus" äußert sich auch Hans Lucke (Der Deutschunterricht 1969, Heft 2, S. 91 f.):
Die Geschichte ist eine Erinnerungsnovelle, eine Ich-Erzählung, dem Mitschüler Pilenz, jetzt Sekretär im Kolpinghaus in Düsseldorf, als Berichterstatter der miterlebten Geschehnisse in den Mund gelegt; er ist vom Tod Mahlkes nicht völlig überzeugt.
Wenn Ludwig Tiecks Definition richtig ist, daß in einer Novelle „ein kleiner oder großer Vorfall ins rechte Licht gestellt" wird, dann erfüllt die vorliegende Dichtung in hervorragender Weise diese Bedingung. Hier wird die zunächst völlig bedeutungslos erscheinende Katze-und-Maus-Begebenheit in ihrer ganzen Tiefe jugendpsychologisch ausgelotet, dichterisch festgehalten und dem Leser überzeugend verständlich gemacht.
Eine Novelle hat die Aufgabe, „Hintergründe von Ordnung und Sinn sichtbar zu machen, von denen aus das verwirrende Vordergründige eingeordnet werden kann" (Helmich); sie soll nach Fr. Th. Vischers ‚Ästhetik' eine „Krise", eine „Gemüts- und Schicksalswendung" darstellen. „Der Adamsapfel ist der novellistische Falke" (Wagenbach) nach Heyses Falkentheorie; eine bestimmte Begebenheit — hier das Spiel der Katze mit der ‚Maus' — ist ein sym-

bolisches Ereignis, das zugleich den Wendepunkt darstellt. Der Wendepunkt ist nicht nur geistig zu bestimmen, sondern geradezu in ein sichtbares Bild zu legen (Walzel), was hier voll erfüllt zu sein scheint.
Die Geschichte ist im allgemeinen chronologisch dargestellt. Erzähltempo und Erzählbereiche wechseln; oft wird die Handlung flott vorwärtsgeführt, dann tritt der Erzähler wieder auf der Stelle, wenn er Einzelheiten, z.B. die Orts- und Straßenverhältnisse in Danzig-Langfuhr , die Schilderung der Größe und des Schicksals der polnischen Flotte, die Beschreibung von Mahlkes Zimmer sorgfältig und gewissenhaft zusammenträgt. Von Zeit zu Zeit wird der Inhalt des Erzählten zusammengefaßt, z.B. im 8. Abschnitt: „Er erzählte von Mahlke und Mahlkes Jungfrau, von Mahlkes Gurgel und Mahlkes Tante, von Mahlkes Mittelscheitel, Zuckerwasser, Grammophon, von Katz und Maus und mea culpa. . ."
Die Sprache ist milieubedingte Pennälersprache, die häufig ins Ordinäre ausartet; aber auch bei der epischen Schilderung ist der Hang zur lässigen Umgangssprache deutlich, wenn z.B. das Ritterkreuz nur ein einziges Mal im letzten Absatz der Novelle beim richtigen Namen, sonst: der große Artikel, das Ding am Hals, das hochgestochene, steife Ding, der unaussprechliche Orden genannt wird, und man es im 12. Abschnitt zusammenfassend als „das Dingslamdei, den Magneten, das Gegenteil einer Zwiebel, galvanisierten Vierklee, des guten alten Schinkel' Ausgeburt, den Bonbon, Apparat, das Ding Ding Ding, das Ichsprechesnichtaus" bezeichnet. Auch Mahlkes Adamsapfel heißt oft Knorpel, Gurgel, Maus, Hüpfer, Fahrstuhl, Kennzeichen.
Mit Ernst und Witz, Ironie und Spott, Phantasie und Spiel — komisch und tragisch zugleich — wird novellistisch ein Zeitraum von fünf Jahren durchleuchtet, und immer wieder bemüht sich der Verfasser, eine lyrische Stimmung niemals aufkommen zu lassen und jedes Hochgefühl im Ansatz zu ersticken.

„KATZ UND MAUS" — EINE PARODIE DER NOVELLENFORM?

Zweifel, ob die im Untertitel von „Katz und Maus" erwähnte Gattungsbestimmung „Eine Novelle" ernst genommen werden kann, äußert Manfred Durzak in seinem Buch „Der deutsche Roman der Gegenwart", Stuttgart 1971, S. 130 ff. Er meint, man könne unter Umständen der Gattungsbezeichnung Novelle bei Grass eine parodistische Absicht unterstellen, insofern als Grass nicht, wie die Novelle es sonst tut, ein „Tableau" einer großen Einzelpersönlichkeit aufbaut, sondern im Gegenteil ein „Heldenbild" demonstriert und abbaut.

Durzak führt hierzu aus: (Das Werk ist) „vom Untertitel her einer literarischen Gattungstradition eingeordnet, deren formale Implikationen auf Straffheit der Handlungsführung, auf ein zentrales Ereignis, auf die Goethesche „unerhörte Begebenheit", auf eine zugespitzte Handlung, Wendepunkt und zentrales Dingsymbol (den sogenannten Heyseschen „Falken") hindeuten. Sicherlich, ein solcher leitmotivische Funktion erfüllender „Falke" scheint sich in ,Katz und Maus' ohne weiteres anzubieten: jener außergewöhnliche Halsknorpel Mahlkes, sein Adamsapfel, den zu überdecken oder durch noch ungewöhnlichere, künstliche Dekorationen zu übertreffen, beispielsweise durch ein Ritterkreuz, zum dominierenden Antrieb von Mahlkes Leben wird.

Aber es ist zu fragen, inwieweit eine körperliche Besonderheit, die unabtrennbar zur Charakteristik des Handlungsprotagonisten gehört, die bildliche Funktion eines „Falken" haben kann. In ähnlicher Weise müßte man ja dann auch die absonderliche Zwergengestalt Oskars in der ,Blechtrommel' als „Falken" sehen. Das ist ohne Frage eine absurde Konsequenz. Leitmotivische Funktion hat denn auch eher jenes Ritterkreuz, das Mahlke und seinen Mitschülern zum ersten Mal von einem „Leutnant der Luftwaffe" vorgeführt wird, der „mit dem Bonbon am Hals" vor der Klasse steht und in forschem Ton von seinen Einsätzen berichtet. Das Ritterkreuz dieses „hochdekorierten Leutnants" wird für Mahlke zu einer viel verheißungsvolleren Möglichkeit, die Aufmerksamkeit von jenem Halsknorpel abzulenken, als sie bisher Schraubenzieher oder die von ihm zur Schulmode kreierten Puscheln geboten haben. Mahlke

versucht, eine solche Möglichkeit in der Anfangsphase auf freilich noch unbefriedigende Weise zu realisieren, indem er sich nämlich mit Ersatzmedaillen behilft: „runden, ovalen, auch durchbrochenen Leuchtplaketten und Leuchtknöpfen“, in der Regel von alten Leuten getragen, „die Zusammenstöße auf verdunkelten Straßen befürchteten“. Diese Episode, wiederum mit dem bildlichen Zentrum des Ritterkreuzes, wiederholt sich, als nach dem Fliegerhelden der U-Boot-Held „Kapitänleutnant Prien“ seine ehemalige Schule besucht und „mit dem hochgestochenen Ding am Hals“ ebenfalls seinen obligatorischen Vortrag über seine Kriegsaventuiren hält. Mahlkes Ritterkreuz-Besessenheit führt zum Diebstahl des begehrten Stücks.
Man könnte nun von der Funktion dieser Episode im Verlauf der danach abrollenden Handlung her sagen, daß gewissermaßen auch der novellistische Wendepunkt der Handlung an dieses Dingsymbol, das Ritterkreuz, gebunden ist. Denn als Folge dieses Diebstahls wird Mahlke von der Schule verwiesen, er wird eingezogen und mit einer erfolgreichen Panzerabschußliste genau zu dem Helden, dessen Klischee ihm jener Flieger- und U-Boot-Held in der Schule einst präsentiert hatten. Als Panzerkommandant erhält Mahlke selbst jenen begehrten Orden und sieht sich nun jenem Ziel nahe, das ihm als Schüler angesichts der vorgeführten dekorierten Kriegshelden unerreichbar schien. Aber die Probe aufs Exempel wird ihm verwehrt, nämlich als Musterheld mit einer obligaten Rede den Schülern seiner ehemaligen Schule präsentiert zu werden. Man hat die alte Geschichte nicht vergessen, und trotz aller Anerkennung legt man ihm nahe, auf den Auftritt in der Schule zu verzichten. Mahlke verprügelt den widerspenstigen Oberstudienrat Klohse und taucht unter, verschwindet. Der dekorierte Panzerkommandant desertiert, als ihm der gewünschte Auftritt in der Aula seiner alten Schule versagt bleibt. Hierin liegt sicherlich, vielleicht im novellistischen Sinne, die überraschende Wendung des Geschehens.
Freilich, wo wäre die im novellistischen Sinne „unerhörte Begebenheit“? Von einer Zusammendrängung der Handlung auf ein Zeitkontinuum, das in einem dominierenden Ereignis hervortritt, kann nicht die Rede sein. Wo wäre die Parallele zu jener Feuersbrunst,

die in der Goetheschen ‚Novelle' die wilden Tiere freisetzt? Nichts dergleichen. Ganz im Gegenteil: Die Handlung wird über eine ganze Reihe von Stationen verlagert, deren biographische Klammer die Entwicklung Mahlkes vom Schuljungen zum Panzerkommandanten darstellt und deren zeitgeschichtliche Einheit das Kriegsgeschehen verkörpert, das sich in Parallele zu Mahlkes Entwicklung entfaltet. Die zeitliche Ausdehnung, die die Handlungsführung verrät, widerspricht ebenso der formalen Forderung der „unerhörten Begebenheit" wie die Funktion des Erzählers, des ehemaligen Mahlke-Schulfreundes Pilenz, der, vom Tod seines Freundes noch immer nicht ganz überzeugt, weiter nach ihm sucht und im Rückblick auswählend jene Episoden erzählt, die Mahlkes Werdegang spiegeln. Von einem auf umfassende Darstellung angelegten Berichtstil kann hier nicht gesprochen werden.
Man muß sich also generell fragen, inwieweit die im Untertitel des Romans erwähnte Gattungsbestimmung ernst genommen werden kann. Denn das sich im Hintergrund der Mahlke-Handlung abspielende Kriegsgeschehen ist viel zu umfassend und damit zu abstrakt, um als „unerhörte Begebenheit" zu fungieren. Freilich könnte man der Gattungsbezeichnung Novelle hier bei Grass eine parodistische Absicht unterstellen. Denn bisher wurde die streng durchkomponierte Architektonik der Novellenform zum literarischen Tableau großer einzelner, die ebenso im Mittelpunkt der unerhörten literarischen Begebenheit wie im Mittelpunkt der Geschichte stehen. Die Vorliebe für diese bestimmte Gattung basiert also auf einem ganz bestimmten, ideologisch fixierten Gesichtsbild, das die schöpferische Kraft des großen einzelnen betont — für Conrad Ferdinand Meyer ist das Vorbild hier ganz konkret Bismarck — und dieses ideologische Muster in der literarischen Produktion nachahmt.
Parodie der Novellenform hätte bei Grass also diesen ideologiekritischen Aspekt: eben nicht literarisches Tableau, das die Gestalt des großen einzelnen ästhetisch untermalt, sondern gerade Demontage des klischeehaften Heldenbildes durch Nachweis der trivialen Motivationen, die an seiner Entstehung beteiligt sind. Grass, der also gewisse Formalien der Novellengattung, wie etwa die Funktion des Dingsymbols, zu verwenden scheint, kehrt ihre Funk-

tion ins Gegenteil um, indem gerade nicht ein Heldenbild aufgebaut, sondern abgebaut wird."

Durzak stellt dann die „Kontrapunktik" der beiden Erzählebenen heraus, die „aufeinander zugeordnet sind, indem die eine als Negation der anderen fungiert." Er argumentiert:

„Die eine Erzählebene ist die offiziell ideologische, die didaktische Verbreitung des falschen Heldenideals durch Heroisierung und Idyllisierung, dargestellt vor allem in den Reden der beiden Kriegsheroen, des Fliegerleutnants und des Kapitänleutnants Prien. Darauf zugeordnet ist als ideologiekritische Entlarvung dieser Erzählschicht die dominierende Erzählebene von ‚Katz und Maus': die von Pilenz aufgezeichnete Geschichte seines Schulfreundes Mahlke, der gerade ein solcher Held werden wollte. In der Darstellung der Genese dieses Heldenbildes werden eben seine fragwürdigen Voraussetzungen aufgedeckt und damit widerlegt. Was also von dem Fliegerleutnant und dem U-Boot-Kapitän an didaktischer Ideologie verkündet wird, widerlegt und parodiert Pilenz zugleich in seiner Geschichte von Mahlke. Unter diesem Aspekt handelt es sich um ein eminent politisches Stück Prosa, um eine Darstellung jener Bewußtseinswelt, deren konkrete politischen Konsequenzen in der nationalsozialistischen Gewaltpolitik hervortraten, also eine Analyse der NS-Politik, die nicht bei den äußeren Repräsentanten dieser Politik einsetzt, sondern einen Schritt weiter zurückgeht und jenes Bewußtseinsklima untersucht, das die Treibhausatmosphäre abgab, in dem sich jene Ideologie so rasch entwickeln konnte."

Durzak faßt zusammen: „Katz und Maus", diese knappe überschaubare Prosaetüde, ist also von der politischen Substanz her eine der überzeugendsten Arbeiten von Grass. Neben der „Blechtrommel" und vor den „Hundejahren" sicherlich seine herausragende epische Leistung.

PILENZ' VERHÄLTNIS ZU MAHLKE

(Gertrude Cepl-Kaufmann, Günter Grass. Eine Analyse des Gesamtwerkes unter dem Aspekt von Literatur und Politik. Kronberg/Ts. 1975, S. 40-43.)

Es geht um das subtile Spiel menschlicher Schwächen und Abhängigkeiten auf das schon durch das Interpretationsmodell ‚Katz-und-Maus' hingewiesen wird. Pilenz' Schuld ergibt sich weniger durch die konkrete Handlung als durch das Gefühl, das in ihm relativ zu den Schwierigkeiten von Mahlke anwächst. Die Zwangslage, in der sich Mahlke befindet, erweckt in ihm ein Gefühl der Überlegenheit, das genüßlich ausgekostet wird, auch wenn der Erfolg nur ein „kleiner dreckiger Triumph" ist und das gewonnene „Oberwasser" nur ein momentaner Erfolg sein kann. Dem Integrationsversuch Mahlkes begegnet Pilenz als Exponent der Gesellschaft abweisend. Er, der äußerst blasse Normaljugendliche entwickelt Fähigkeiten der Manipulation des eigenen Gewissens und des eigenen Handelns, wenn es darum geht, dieses Gefühl der plötzlichen Überlegenheit durch Rache in die Vergangenheit zu verlängern und durch das konkrete Tun für die Zukunft zu konservieren.
Der dreifache Verrat von Pilenz an Mahlke ist eindeutig gekennzeichnet durch die Analogie zum Verrat des Petrus an Jesus: „Aber ich wollte abermals nichts damit zu tun haben." Doch der Vorschlag, in der Funkerkabine ein Versteck zu suchen, stammt von Pilenz. In der darauffolgenden Phase wird Pilenz beherrscht von dem Bestreben, sich auch hier der Verantwortung zu entziehen und dem zwanghaften Versucht, am Leide des Mahlke teilzunehmen. Dieser Zwang ist ein sadistisches Interesse am Leiden eines Mahlke, der die Fähigkeit, ihn zu beherrschen, verloren hat.

> Hätte Mahlke gesagt: ‚Komm aber wieder!' ich hätte mich verdrückt.

Diese Bemerkung steht im Gegensatz zur Dienstwilligkeit, die Pilenz dem überlegenen Mahlke gezeigt hatte.

> Wenn Mahlke gesagt hätte: ‚Mach das und das!' ich hätte das und noch mehr gemacht.

Gegen Mahlkes Angst erst setzt Pilenz seine Wut.

Pilenz versucht, die Situation des Gejagtwerdens, die Mahlke empfindet, als unberechtigt hinzustellen: „Keine Katze auf See, aber die Maus flüchtig." Er ist nicht bereit, sich selbst als Katze zu entdecken.
Der Bezug zwischen dem Vernichtungswillen des Pilenz und dem Charakter Mahlkes, der zugleich seinen Bezug zur Gesellschaft prägt, ist eindeutig.
Mahlke ist von vorneherein als der Außenstehende gekennzeichnet: Sein Äußeres ist von extremer Häßlichkeit, der Eindruck wird durch seine lächerliche Kleidung unterstrichen. Extremes Merkmal seines provokativen Aussehens ist der stark hervorspringende Adamsapfel.
Er äußert seinen Berufswunsch: „Ich werde einmal Clown werden und die Leute zum Lachen bringen", und erntet nur „Schreck und die Befürchtung", er werde „einmal die Leute schrecklich zum Lachen bringen". Wesen seiner Clownerie ist seine Selbstdarstellung, das Lachen über ihn wird zum Beweis der gestörten Kommunikation. Mit dieser selbst gewünschten Außenseiterposition demonstriert Mahlke selbst seinen Leidenswillen. In ihm verkörpert sich das Leiden Christi. Seine „Leidensmiene" ist gleichzeitig eine „Erlösermiene", „er hätte als Jesus auftreten können".
Mahlke wird zum Gegenstück des bei einem Zugunglück ums Leben gekommenen Vaters, dessen Tod zugleich eine Aufopferung für die Reisenden des Zuges war. . . Mahlke sieht sich in der Nachfolge des Vaters, die Erinnerung an ihn wird mit der Verehrung des Bildes betont. Mahlkes Veränderung verändert zugleich die Beziehung zum Vater. Am Ende steht es in Opposition zu ihm. Der Vater hatte die Zerstörung verhüten wollen, nachträglich wird ihm eine Medaille verliehen. Mahlkes Ritterkreuz ist der Lohn für seine Zerstörung. Die beiden Verdienstorden stehen in einem grundsätzlich unterschiedlichen Bedingungszusammenhang. . .
Mahlkes Außenseiterposition konturiert sich am stärksten vor der Gruppe der Gleichaltrigen. Er ist ihnen „ein Stückchen voraus". Bei den Aufenthalten auf dem Boot sitzt er getrennt von der Gruppe und dokumentiert mangelnde Zugehörigkeit. Dem entspricht seine Unabhängigkeit. Mahlke „war nicht zu helfen", „konnte niemand helfen", ihm wäre kaum je „geholfen gewesen". Mahlke befindet

sich in „monumentaler Einsamkeit". Das Interesse der Jungen an Mahlke richtet sich darauf, das Rätsel Mahlke zu lösen, zu erfahren „was dahintersteckt". Seine Rätselhaftigkeit besteht nicht zuletzt darin, daß die Kommunikation mit den Jungen auf rein verbale Ebene reduziert ist. Darüber hinaus ist Mahlke „wort- und zeichenlos". Erst nach seinem Scheitern, beim Zusammentreffen mit Pilenz auf dem Boot, beginnt er zu sprechen. Die Reaktion der Jungen schwankt zwischen wundern — „wir wunderten uns" — und „Bewunderung". Auch für Pilenz, dem Exponenten der Gruppe, bleibt Mahlke der Fremde, ist nur äußerlich zu beschreiben: „. . . seine Seele wurde mir nie vorgestellt. Nie hörte ich, was er dachte. Am Ende bleiben sein Hals und dessen viele Gegengewichte."
Mahlke sucht von sich aus nicht den Kontakt zu den Jungen, doch provoziert er durch sein selbständiges Handeln deren Reaktionen, die durchaus zu ihren Ungunsten auslaufen können. Ohne es zu wollen, macht er sie durch seine eigene Leistung zu Unterlegenen, „zu kleinen frierenden Jungens, die verlegen mit laufenden Nasen daneben standen". Gleichzeitig rezipieren sie seine Verdienste und sind stolz auf ihn.
In diesem Punkt gerät das Wunschdenken von Pilenz mit den tatsächlichen Eigenschaften von Mahlke aneinander. Pilenz versucht in seiner Darstellung des Mahlke dessen extreme Leistungen als Streben nach Bewunderung zu interpretieren, kann aber diese Manipulationen nicht durchhalten: „Kam er womöglich ohne Publikum aus?"
Hier wird das tatsächliche Mißverständnis in der Freundschaft der beiden gekennzeichnet. Pilenz läuft „von ganz alleine neben ihm und seinen wechselnden Attributen", die devote Bewunderung, die er ihm nachträgt, treffen Mahlke nicht, er „sorgte für sich" allein. Erst mit der abgeschlossenen Eigenwelt des Mahlke wird er für Pilenz zum Problem, zum Widerstand. Mahlke ist nicht angreifbar, solange er vom Urteil seiner Umgebung unabhängig ist. Erst mit der Suche nach gesellschaftlicher Anerkennung verliert er diese Unabhängigkeit. In Pilenz als Exponent der Gesellschaft und Mahlke als Außenseiter treffen Charaktere und menschliche Möglichkeiten aufeinander, die, in einem bestimmten historisch-gesell-

schaftlichen Kontext zusammengebracht, zu den hier aufgezeigten Konflikten führen.
Wie in den beiden, die Novelle ,Katz und Maus' in der Werkchronologie einschließenden, Romanen finden wir hier nach einer richtungsweisenden und wichtige Entwicklungen vorausdeutenden Eingangshandlung den Beginn der Chronologie der Ereignisse. Im ersten Absatz der Novelle entsteht ein Spannungsgefüge, mit der festen Zuordnung von Positionen und Rollen, innerhalb dessen sich das Geschehen der gesamten Novelle abspielt. Wir erfahren hier die Personen Mahlke und Pilenz und ihre symbolischen Zuordnungen: Mahlke als Maus und Pilenz als Katze, Mahlke als Opfer und Pilenz als Angreifer. Das hergestellte Spannungsgefüge wird als „Dreieck" bezeichnet, aus der dadurch festgelegten Beziehung kann sich keine Position lösen.
Die Katze wird für Pilenz zur Versuchung, er wird schon hier zum Täter. Mahlke wird in einem Fall zum Opfer, der zunächst harmlos erscheinen mag. Doch wird darin die Schuld des Pilenz vorweggenommen. Mahlkes Adamsapfel wird zum Sinnbild seiner exponierten, ungewöhnlichen Position und zum Schuld provozierenden Faktor. Er begründet die Stellung Mahlkes außerhalb der Gesellschaft und macht ihn für diese zum Angriffsziel. Schon hier wird dieses Symbol dechiffriert: „Mahlkes Adamsapfel wurde der Katze zur Maus." Gleichzeitig wird die Entdeckung des Adamsapfel für Mahlke selbst zur Entdeckung einer Abnormität, die „Primärmotivation" für sein weiteres kompensatorisches Verhalten ist.
Es ist bezeichnend, daß Pilenz in dieser Situation von Zahnschmerzen befallen ist. Der Zahnschmerz gilt im Grass Werk, vor allem in ,Örtlich betäubt' als psychosomatisch begründeter Schmerz. Dort wie hier ist es Ausdruck des belasteten Gewissens.
Gleichzeitig ist der Zahnschmerz geeignet, die seelische Labilität des Pilenz zu dokumentieren.

> Ich hätte zum Zahnarzt gehen sollen . . . Mein Zahn lärmte . . . Mein Zahn trat auf der Stelle. . . . Mein Zahn wiederholte ein einziges Wort. . . . Über den Himmel kroch langsam und laut ein dreimotoriges Flugzeug, konnte aber meinen Zahn nicht übertönen. . . . Mahlke schlief . . . Neben ihm hatte ich Zahnschmerzen.

Erst in dem Moment, in dem das Katz- und Maus-Spiel, der tatsächliche Angriff, stattfindet, hört der Zahnschmerz auf. Beide Fakten werden in einen kausalen Zusammenhang gebracht: „Mein Zahn schwieg, trat nicht mehr auf der Stelle: denn Mahlkes Adamsapfel wurde der Katze zur Maus."
Schon in dieser ersten Szene erweist sich, daß Pilenz seine Schuld von sich weisen will, indem er den wahren Sachverhalt als unsicher hinstellt, sich eines mangelnden Erinnerungsvermögens bedient: „jedenfalls sprang sie Mahlke an die Gurgel; oder einer von uns griff die Katze und setzte sie Mahlke an den Hals; oder ich, mit wie ohne Zahnschmerzen, packte die Katze, zeigte ihr Mahlkes Maus". Nach diesem Versuch der Selbstrettung gesteht Pilenz jedoch seine grundsätzliche Schuld: „Ich aber, der ich Deine Maus einer und allen Katzen in den Blick brachte, muß nun schreiben". Durch das Schuldgeständnis des Pilenz wird zwischen der Anfangsszene der Novelle und der Erzählergegenwart eine Kontinuität hergestellt.
Die Anfangsszene muß als Ganzes in ihrem Verhältnis zur Novelle gesehen werden. Zu Beginn der Geschichte steht ein Vorfall — die ‚unerhörte Begebenheit' bestimmt ‚Katz und Maus' von daher als „classical" Novelle —, der in seiner Dauer realtiv zur gesamten Geschehenszeit einen sehr breiten Raum einnimmt. Schon dadurch kommt dem hier geschilderten Vorfall, normalerweise als Jungenstreich beurteilt, besondere Bedeutung zu. Der Eindruck wird verstärkt durch die verschiedenen retardierenden Einschübe, die sich als visuelle und sinnliche Eindrücke von Pilenz erweisen. „Vorgänge und Figuren auf dem Sportplatz, rauchendes Krematorium und vorüberziehendes Flugzeug schieben sich in den schon ausgebreiteten Prozeß des Katzensprungs ein und bewirken eine weitere Intensivierung der Spannung." Der Vorfall muß gesehen werden als Initialzündung für das weitere Geschehen. Es wird ausgelöst durch Pilenz: „Ich aber, der ich Deine Maus einer und allen Katzen den Blick brachte"...
Eben diese Anfangsszene hat auch Anteil an der Kreisstruktur des gesamten Geschehens. Die anfängliche Situation des Katz- und Maus-Spiels, in der Mahlke der Unterlegene ist, nimmt das Ende der Geschichte voraus. Beginn und Ende der Beziehung Mahlke-Pilenz sind zugleich Beginn und Ende der Novelle. Das Vorgefalle-

ne und die daraus resultierende Erzählintention einerseits und der Erzählverlauf andererseits aber bewirken eine Spannung, von der her die Geschichte eine Unabgeschlossenheit erhält, den ständigen potentiellen Neubeginn möglich macht.
Erst mit dem Eintritt des Pilenz in die Handlung kommt Mahlkes Adamsapfel eine besondere Bedeutung zu. Mit den sich wandelnden Kaschierungen dieses Adamsapfels entwickelt sich der Spannungsbogen der Novelle. Er kulminiert mit dem Ritterkreuz. Dieses „Ding" ist ursächlich für Mahlkes Wandel, an ihm scheitert er. Für Pilenz aber ist es Symbol seiner Schuld. Damit wird das Ritterkreuz für Pilenz zum Reizfaktor während seines Erzählens. Dem Zwang, seine Geschichte zu erzählen und damit von der belastenden Erinnerung frei zu werden, ist auf der anderen Seite die Unfähigkeit zugeordnet, den Namen ‚Ritterkreuz' auszusprechen. . . Noch im Korridor des Gymnasiums hatte Pilenz in einer gedrängten Wortfolge seine Unfähigkeit bewiesen, dieses sein Gewissen belastende ‚Ding' zu benennen. Er nennt es „den besonderen Artikel . . ., das Dingslamdei, den Magneten, das Gegenteil einer Zwiebel, galvanisierten Vierklee, des guten alten Schinkel Ausgeburt, den Bonbon, Apparat, das Ding Ding Ding, das Ichsprechesnichtaus". Mit der Benennung des Ritterkreuzes nur kann die Figur und Geschichte des Mahlke für den Erzähler Pilenz in den Griff bekommen werden. Doch Mahlke taucht unter, bevor Pilenz seine eigenen Schwierigkeiten unter Kontrolle hat. Bei Mahlkes Untergang bleibt diese Spannung als provokative „Stille" zurück. Nachfolgend benennt Pilenz zwar das Ritterkreuz, doch innerhalb des nicht mehr zu verändernden Ausgangs der Novelle. Mahlke ist an einem Karfreitag untergetaucht und initiiert damit einen Spannungsbogen analog dem, der zwischen Karfreitag und Ostern als Hoffnung auf die erlösende Auferstehung existiert. In diesem Zustand befindet sich Pilenz und artikuliert ihn in der ständigen Suche nach Mahlke. Die erfolglose Suche auf dem Treffen der Ritterkreuzträger in der Gegenwart indessen markiert die Hoffnungslosigkeit und Resignation als deren permanente negative Entsprechung.

MARIENKULT UND CHRISTUS — PARALLELEN

(Ulrich Karthaus, ‚Katz und Maus' von Günter Grass — eine politische Dichtung. Der Deutschunterricht. Stuttgart 1971, Heft 1, S.81)

„Das Motiv von Mahlkes Marienfrömmigkeit ist fast vom Beginn der Novelle an leitmotivisch immer wieder angeschlagen worden. Es handelt sich dabei scheinbar um eine individuelle Marotte Mahlkes, die bisweilen lächerlich und immer übertrieben wirkt. Denn er begegnet der Jungfrau überall und betet z. B. — von den Gefährten ausgelacht — auf dem Deck des Minensuchbootes seine ‚Lieblingssequenz'. (18) Der Erzähler zweifelt: „das war wohl ernst gemeint (. . .) oder wolltest Du Spaß machen?" (19) Sein Verhältnis zur Jungfrau ist ebenso ein Rätsel wie er selbst. Ist er auf sie fixiert, weil er selbst dem Erlöser gleicht? So wenigstens karikiert ihn ein Mitschüler an der Wandtafel: mit „Leidensmine" (36) und „Heiligenschein" (36 f.) zeichnet er den „Erlöser Mahlke" (37). Man könnte auf den Gedanken verfallen, Mahlke erleide stellvertretend für seine später ins bürgerliche Nachkriegsleben eintretenden Schulkameraden Qualen und Tod dieser Kriegszeit. Dabei hat sein Marienkult mit Religiosität wenig zu tun. Hochwürden Gusewski urteilt: „Mahlkes Marienkult grenze (. . .) an heidnischen Götzendienst, welch innere Not ihn auch immer vor den Altar führen möge". (91) Er selbst bekennt: „Natürlich glaube ich nicht an Gott (. . .) Die einzige, an die ich glaube, ist die Jungfrau Maria." (122) So bietet sich denn eine andere Erklärung an, von Mahlke andeutungsweise formuliert. Er braucht das Bild zweier sich im Unendlichen treffenden Parallelen und spricht von „Transzendenz". (133) Das heißt: seine Marienfrömmigkeit steht für das ganz und gar Unbegründete, rational Unfaßbare; sie ist der utopische, ins Jenseits verlagerte Fluchtpunkt seines Denkens. Handelt es sich also um eine individuelle Eigenart, psychologisch erklärbar und — vielleicht — heilbar?
Mahlkes Marienkult ist Ausdruck eines irrationalen Denkens, das die Wirklichkeit, an der es leidet, nicht begreifen kann und sich deshalb aus dieser Wirklichkeit hinwegflüchtet."

(Johanna E. Behrendt, Die Ausweglosigkeit der Menschennatur. Eine Interpretation von Günter Grass' „Katz und Maus“. In: Zeitschrift für deutsche Philologie 1968, S. 546 ff.)

„Die sexuellen Gefühle Mahlkes werden überkompensierend auf das religiöse Gebiet verlegt. „Eigentlich gab es für Mahlke, wenn schon Frau, nur die katholische Jungfrau Maria.“ Seine fanatische, heidnische Marienanbetung ist ganz areligiöser Art, was auch darin zum Ausdruck kommt, daß er beim Beten der Jungfrau auf den Bauch starrt. Dies deutet auf einen inneren Zwang hin, sich in symbolischer Ehe auf ein höher liegendes Gebiet als das alltäglich menschliche zu erhöhen: „Natürlich glaube ich nicht an Gott. Der übliche Schwindel, das Volk zu verdummen. Die einzige, an die ich glaube, ist die Jungfrau Maria. Deshalb werde ich auch nicht heiraten.“ In seiner Vision, die zu seiner Höchstleistung und damit zum Erwerb des Ritterkreuzes führt, gibt die Jungfrau Maria Mahlke das Ziel an, ein Ausdruck dafür, daß Mahlke mit seinen „Heldentaten“ über das Irdische hinauszielt...
Dazu kommt Mahlkes Marienkult, dessen selbstüberhebende Tendenz zum Übermenschlichen, symbolisch durch die Ehe auf der übermenschlichen Ebene der Jungfrau ausgedrückt, bereits angedeutet wurde. Wie der Ritter zur Zeit der Vorväter seine Abenteuer für die ‚vrouwe‘ bestand, begeht und besteht Mahlke seine Überleistungen für die Jungfrau Maria, der er seine Trophäen zeigt und mit denen er vor ihr prahlt. Er wirbt im Grunde mit ihnen um sie. Doch ungleich dem Kreuzritter handelt Mahlke nicht für Gott, auch nicht für die Jungfrau Maria, sondern nur für sich, für sich ganz allein: „Eigentlich ... gab es für Mahlke, wenn schon Frau, nur die katholische Jungfrau Maria. Nur ihretwegen hat er alles, was sich am Hals tragen und zeigen ließ, in die Marienkapelle geschleppt. Alles, vom Tauchen bis zu den späteren, mehr militärischen Leistungen, hat er für sie getan oder aber — schon muß ich mir widersprechen — um von seinem Adamsapfel abzulenken.“
Maria ist für Mahlke keine Muttergottes — auf der Abbildung fehlt das Kind — sondern nur die Jungfrau. Sie ist für ihn die ‚Jungfrau der Jungfrauen‘ ein Begriff, der auf eine höhere Ebene als die menschliche hinweist. In Mahlkes Vision bei der Erwerbung des

Ritterkreuzes und damit bei seiner Erhöhung zum Übermenschen, dienen die Jungfrau Maria und das von ihr gehaltene Bild des Vaters als Wegweiser und als Durchgang zum Ziel: Mahlke muß durch sie hindurchschießen, um die Panzer dahinter zu treffen. Wie sehr es Mahlke bei seiner Vision und bei seiner Erwerbung des Ritterkreuzes um die Erhebung über das Menschliche geht, zeigen seine eigenen Worte, die dem Bericht von der Vision und der Heldentat folgen: „Beweise? Sage ja, hielt das Bild. Oder in der Mathematik. Wenn Sie unterrichten und davon ausgehen, daß sich parallele Linien im Unendlichen berühren, ergibt sich doch, das müssen Sie zugeben, so etwas wie Transzendenz."
Zugleich ist das Schießen auf die Jungfrau Maria und den Vater ein Ausdruck für die Vernichtung der verbildlichten alten Begriffe und Werte von Religion und Tradition. Das ist die Umwertung der Werte, die in der nationalsozialistischen Ideologie stattfand, wobei die neuen Werte bereits vernichtender Art sind. Er ergibt sich daraus anstatt Erhöhung des Menschen das Herabziehen des Höchsten, des Überirdischen zur niedrigsten Ebene: die Jungfrau Maria, auf deren Bauch Mahlke beim Beten starrt und auf den er schließlich schießt, wird anstatt zur symbolischen Partnerin auf überirdischer Höhe zur symbolischen Partnerin des Geschlechtsverkehrs. Ihre Göttlichkeit wird mit dem in die Latrinenwand gekerbten Anfang von Mahlkes Lieblingssequenz ‚Stabat Mater Dolorosa', in der der Begriff ‚Jungfrau der Jungfrauen' vorkommt, in den Kot gezogen."

(Volker Neuhaus, Günter Grass, Stuttgart 1979, S. 81)

Gerade beim in seinem Erlösungsplan gescheiterten Mahlke stellen sich verstärkt Christus-Parallelen ein: An einem Donnerstag wird sein Schicksal besiegelt, am Freitag taucht er nach einem letzten Abendmahl und nach dem Ringen und dem „Schweiß" von Gethsemane (Lukas 22,44) unter.
Sein Jünger und Verräter, Pilenz als Judas, spielt dabei eine entscheidende Rolle: Er hatte Mahlkes Bemühen mit größter Verehrung und Hoffnung verfolgt — nach seinem Scheitern trägt er aktiv dazu bei, daß Mahlke unter Wasser flüchtet. Er hofft, mit dem gescheiterten Mahlke auch das von ihm repräsentierte Problem, das

Wissen von der Isolierung des Menschen, das Wissen vom „Sprung“ im „Anfang“ aus der Welt geschafft zu haben. Statt dessen muß er erfahren, daß der abwesende Mahlke universal präsent ist — wie ihm schon einmal die von ihm weggeschlagene Schrift „deutlicher als zuvor die gekerbte Schrift gesprochen hatte“. Diese andauernde Präsenz Mahlkes drückt sich nicht zuletzt in den ständigen Du-Anreden an ihn aus, die Pilenz' Bericht durchziehen. Seit Mahlkes ‚Karfreitag‘ wartet er auf dessen ‚Ostern‘ — s. den letzten Satz „Aber Du wolltest nicht auftauchen“ —, seit seinem Verschwinden in der stummen Funkerkabine wartet er vergeblich auf eine Botschaft Mahlkes — „Seit jenem Freitag weiß ich, was Stille ist“.

Pilenz, der Jünger, der mit Mahlke nicht fertig wurde und ihn verriet, wird jetzt mit dem untergetauchten Mahlke nicht fertig, schreibt deshalb seine Geschichte auf und wird so sein Evangelist. Wie „Die Blechtrommel“ ist auch „Katz und Maus“ das Evangelium der gefallenen Schöpfung. Mahlke ist es nicht gelungen, die uranfängliche Disharmonie der Welt zu überwinden, und Pilenz konnte das Wissen von diesem Fehlschlag nicht verdrängen. So bleibt nur der Weg, in der Erzählung von Mahlke die Disharmonie der Welt zu gestalten und so das „Loch in der Schöpfung“ offenzuhalten.

ZWEI INTERESSANTE VERGLEICHE

(Johanna E. Behrendt, Die Ausweglosigkeit der menschlichen Natur. Eine Interpretation von Günter Grass' „Katz und Maus“. Zeitschrift für deutsche Philologie 1968, S. 546 ff.)

Johanna E. Berendt führt in ihrem Aufsatz zwei ebenso interessante wie kühne Vergleiche durch. Wenn man ihr auch nicht in allen Punkten folgen kann, so ist man doch erstaunt über die frappante Besonderheit ihrer Ausführungen, die gleichermaßen treffsicher wie kurios wirken und zu Diskussionen herausfordern.

1. Mahlke — Personifizierung des Dritten Reiches

Leben, Wesen und Schicksal Joachim Mahlkes, sein Milieu und die geschichtliche Zeitspanne, in der sie sich ereignen, lassen ihn als Repräsentanten, ja als Personifizierung Deutschlands erscheinen. Mahlkes Hintergrund, sowohl die Schule wie das Elternhaus, sind sprachlich, kulturell und ideologisch deutsch, und nicht weniger ist es der dargestellte geographische Hauptschauplatz, die Stadt Danzig, deren deutsches Wesen schon durch den Mangel jeglichen polnischen Einflusses in dieser Novelle unterstrichen wird. Hitlerjugend, Arbeitsdienst und Militärdienst zeigen sich als der normale Weg, den ein Deutscher jener Zeit begeht. Das Gewicht, das auf sportliche und militärische Leistung gelegt wird, der allgemeine Geist der Heldenanbetung und der von Mahlke gezeigte Fanatismus sind alles offensichtliche Aspekte, die das nationalsozialistische Deutschsein hervorheben. Die Zeitspanne, die Mahlkes Leben vom ersten Schwimmunterricht an bis zu seinem Untergang umfaßt — September 1939 bis etwa Mai/Juni 1944 — enthält historisch die drei Jahre des siegreichen deutschen Blitz- und Eroberungskrieges, den Wendepunkt mit den Niederlagen von El Alamein und Tunis im Spätherbst 1942 und Stalingrad im Februar 1943 und noch ein Jahr des schon deutlich zum totalen Untergang Deutschlands führenden Krieges. Dieser historische Kriegsweg des Dritten Reiches entspricht sinngemäß Mahlkes eigenem Lebensweg, der von siegreichen und heldenhaften Überleistungen mit darauf folgendem Untergang geprägt ist. Mahlkes Vorgeschichte bis zum Schwimmenlernen aber weist auf die Vorgeschichte und Voraussetzung des nationalsozialistischen deutschen Staates hin und deutet an, daß Mahlke nicht nur diesen, sondern den deutschen Nationalstaat überhaupt versinnbildlicht.
So wie Mahlke erst viele Jahre nach seinen Kameraden schwimmen lernt, so lernte auch Deutschland als politische und staatliche Einheit erst lange nach Staaten wie England und Frankreich ‚schwimmen', nämlich erst mit der Entstehung eines deutschen Nationalstaates im Jahre 1871. Wie Mahlke tat das Wilhelminische Kaiserreich sich sehr bald durch Überleistungen hervor, wobei der Aufbau einer nationalen Marine mit ihrer berühmten Untersee-

bootsflotte eine wichtige Rolle spielte. Der schwimmende, wie ein U-Boot auf- und untertauchende Mahlke erinnert uns an sie. Der verlorene Erste Weltkrieg deckt sich mit Mahlkes Untergang. Historisch folgt nun eine intensive Wiederholung, die insofern keinen Widerspruch zu Mahlkes Lebensweg bedeutet, als dieser aus einer Reihe von gleichmotivierten Überleistungen, also aus intensivierten und variierten Wiederholungen besteht. Der verlorene Krieg wirft Deutschland wieder weit hinter die anderen Staaten zurück. Aus einer stark empfundenen minderwertigen Stellung versucht Deutschland sich in dem 1933 entstandenen Dritten Reich durch unglaubliche überkompensatorische Leistungen, vor allem auf militärischem Gebiet, zu befreien. Der Weg bis in den Untergang des Dritten Reiches wird, wie schon gezeigt, durch die Zeitspanne, in der sich Mahlkes Leben vollzieht, angedeutet.
Auch die Institutionen, die Mahlke durchläuft, drücken den Weg Deutschlands aus. Als Angehöriger des Gymnasiums, des geistigen Zentrums traditionell humanistischen Denkens, gehört er anfangs der Welt der internationalen abendländischen Kultur an, aus der das nationalsozialistische Deutschland in der Person Mahlke aus moralischen Gründen entfernt wird und sich selbst entfernt. Konsequenterweise wird er jetzt Mitglied der „Horst-Wessel-Oberschule", einer Gemeinschaft, die unter dem Namen und Mythos eines nationalsozialistischen Helden und des Verfassers des Horst-Wessel-Liedes steht. Ebenso konsequent ist sein weiterer Weg in die Wehrmacht und den Krieg.
Doch wenn in der Novelle auch der historische Weg Deutschlands bis in den Untergang versinnbildlicht wird, so geht es in ihr nicht um eine Kraftprobe zwischen zwei Parteien, wobei die eine unterliegt, nicht um Mahlkes Untergang auf Grund der zu ihm in Konflikt stehenden Lehrer, Schule oder Gesellschaft und ebensowenig um Deutschlands militärische Niederlage. Unwesentlich ist auch, daß Mahlke vom Gymnasium entfernt wird, wesentlich dagegen, daß er sich durch sein überkompensatorisches Streben, aus dem der Diebstahl des Ritterkreuzes hervorgeht, selbst entfernt und damit selbst vernichtet. Deutschlands militärischer Untergang zeigt sich in Mahlkes Lebensgeschichte als die konsequente Folgerung aus der nationalsozialistischen Ideologie, insbesondere ihrer Rassen-

und Herrenmenschenideologie. Mahlkes Bild, genau jenes, das er in der Aula des Gymnasiums als Ideal emporhalten will, ist das Bild des nationalsozialistischen Übermenschen, das sich aber nicht zur Glorifizierung eignet, weil seine inneren Werte vernichtender und selbstvernichtender Art sind.

Mahlkes überkompensatorischer Drang mit den daraus hervorgehenden Überleistungen zielt bereits auf eine Erhöhung über das durchschnittlich Menschliche. Die Darstellung seines, den Kameraden so fremd anmutenden Vater- und Marienkults aber läßt die wichtigsten Aspekte der nationalsozialistischen Ideologie durchblicken. Sein Vaterkult, bei dem die Auszeichnung des Vaters das allein Wesentliche ist — sonst erfahren wir nicht viel von ihm — weist auf den nationalsozialistischen Kult hin, der mit den germanischen Vorvätern getrieben wurde. Mahlke ist mit seinem Vater durch Auszeichnung und Überleistung verbunden, wie es auch das Schuhband aus des Vaters Stiefeln, an dem Mahlke die Trophäen seiner Überleistung inklusive des Ritterkreuzes trägt, ausdrückt. Dieses die Generation verbindende Schuband voller Auszeichnungen stellt die Idee der ausgezeichneten Rasse oder des Herrenvolkes dar. Auch das Ritterkreuz ist die symbolische Verbindung mit den Vorfahren, zu deren Zeit der Kreuzritter der Inbegriff des auf höchster menschlicher Stufe stehenden für Gott und Glauben kämpfenden Menschen war. Dieses Idealbild verschiebt sich bei den nationalsozialistischen Nachkommen durch überkompensatorische Selbsterhebung zur Idee des Übermenschen.

Mahlkes krampfhafte Überwindung des schwächlichen Körpers zeigt sein Bestreben, solch ein Idealmensch zu werden. Sport und Militarismus sind hierbei in ihrer Funktion als identisch zu betrachten. Zur modernen Kriegsführung gehört der bisher noch nicht erwähnte aber unvermeidliche technische Aspekt, der sich von Anfang bis Ende durch die Novelle hindurchzieht. Mahlke will nicht nur seine körperliche Schwäche überwinden, er will auch jene „Wunderdinge“ von denen die Knaben sprechen, erleben, und diese sind hauptsächlich technischer Art. Schon beim ersten Hinausschwimmen zum Minensuchboot hat Mahlke ein technisches Werkzeug, einen Schraubenzieher, am Hals hängen, mit dem er sich auf dem Boot eifrig beschäftigt. Die Trophäen seiner Überleistungen sind, abgesehen von den Medaillen, technische Instrumente oder Produkte der Technik, sei das ein Minimax, ein Grammophon oder ein rostfreier Schraubenzieher, seien es Konservenbüchsen und Büchsenöffner oder die Kopfhörer eines Sendeapparates.

Der technische Aspekt des modernen Lebens und der modernen Kriegsführung ist aber keineswegs nur deutsch; ganz im Gegenteil ist er eine internationale, ja universale Erscheinung unserer Zeit, wie Mahlkes Trophäen und andere technische Produkte in der Novelle zeigen: es handelt sich z.B. um einen englischen Schraubenzieher, französische und amerikanische Konservendosen, einen deutschen Minimax und ein deutsches Grammophon und um ein polnisches Minensuchboot.

Die Verwirklichung der in dieser Novelle versinnbildlichten nationalsozialistischen Ideologie des Übermenschen ist letzten Endes der Militarismus des Dritten Reiches, dessen Werdegang bis in die Vernichtung wir bereits aufgewiesen haben. Das nationalsozialistische Reich geht unter. Mahlke als seine Personifizierung verschwindet in dem Nichts, entweder des Naturelements des Wassers oder der Funkerkabine, die wie ein Vakuum inmitten der Elemente liegt.

2. Mahlke — Repräsentant des abendländischen Menschen?

Zwei von den drei wichtigsten Motiven für den Charakter Joachim Mahlke, die auch zu den wichtigsten der Novelle gehören, das Gymnasium und die Jungfrau Maria, repräsentieren Antike und Christentum, die wesentliche Fundamente der abendländischen Kultur sind. In seiner Zugehörigkeit zu beiden Bereichen, wird Mahlke zum Repräsentanten des abendländischen Menschen. Veränderungen in Wert, Bedeutung und Einfluß dieser fundamentalen Motive innerhalb der Novelle weisen in allgemeinen und großen Zügen die geistige und kulturelle Entwicklung des Abendlandes bis zur Gegenwart auf.

Das Gymnasium mit seiner auf Geist, Sprache und Kultur der Antike aufgebauten Lehre ist in der Novelle diejenige Institution, in der

eine humanistische, geisteswissenschaftliche Einstellung am ausgeprägtesten besteht. Er versinnbildlicht die geisteswissenschaftlich orientierte abendländische Kultur und Gemeinschaft, zu der der Gymnasiast und „gute Schüler" Mahlke gehört. Er verläßt aber diese geisteswissenschaftlich ausgerichtete Gemeinschaft, um Angehöriger des Realgymnasiums zu werden, einer Instituion, die die Naturwissenschaften und ihre angewandte Form, die Technik, im Lehrprogramm betont. Dieser Wechsel von geisteswissenschaftlich zu naturwissenschaftlich oder technisch orientierten Gemeinschaft findet seine historische Entsprechung im neunzehnten Jahrhundert. Mahlkes weiterer Wechsel von der Realschule zu einer Ausbildung und Anteilnahme an technisch bedingter Kriegsführung zeigt den Übergang von friedlicher und nutzbringender Technik zu ihrem Mißbrauch, der historisch im zwanzigsten Jahrhundert in dem mit den jeweils modernsten technischen Mitteln geführten Weltkriegen stattfand. Parallel zu dieser an den Institutionen sichtbaren Entwicklung des abendländischen Geistes verläuft Mahlkes Weg von geisteswissenschaftlicher Leistung im Gymnasium zu technischer Leistung beim Sport, die dann von technisch bedingter Kriegsführung abgelöst wird.
Die Jungfrau Maria, die Muttergottes, ist Repräsentantin des im Jenseits ewiges Leben verheißenden christlichen Glaubens, wobei ihre spezifische Rolle im Katholizismus als Fürsprecherin sie zur Vermittlerin und Helferin des Menschen zur Erlangung des ewigen Lebens macht. Der Säkularisierungsprozeß der Religion, der im achtzehnten Jahrhundert begann, zeigt sich in der Novelle als eine Verschiebung des überirdischen Gebietes in das weltliche und als eine Verzerrung in der Funktion der Muttergottes: „Unsere neugotische Turnhalle wirkte im gleichen Maße feierlich wie die Marienkapelle auf Neuschottland den nüchtern gymnastischen Charakter einer ehemaligen und modern entworfenen Turnhalle beibehielt . . ."
Das Ende der abendländischen Entwicklung ist durch die Abkehr vom abendländischen Geist und der abendländischen Kultur schon mit Mahlkes Diebstahl herbeigeführt. An ihre Stelle tritt die absolute Leere von Sinn und Wert. Wert- und bedeutungsleer sind alle Leistungen Mahlkes, wobei es ihm nur um die Überleistung

und um sonst nichts geht. So auch seine Heldentat, für die er großen Beifall erntet, den Minimax auch technisch in Betrieb zu setzen, womit er Schaum auf Wasser — anstatt auf Feuer — spritzt, eine völlig unsinnige Tat. Unsinnig ist auch zunächst das Reparieren des Grammophons, das er nun wieder und wieder ohne Platte ablaufen läßt, als vollziehe er einen „neuen Ritus: viele verschiedene und abgestufte Geräusche, der zelebrierte Leerlauf". Wertlos selbst ist Mahlkes militärische Leistung, die der nur um der Leistung willen vollbringt, denn vom Krieg und dem Soldatischen hält er nichts. Das ausdrucksvollste Motiv dieser Sinn- und Wertlosigkeit ist die Funkerkabine. Ihre eigenliche technische Funktion ist, da sie eingebaut ist in ein zum Krieg bestimmtes und im Krieg eingesetztes Schiff, durch den Krieg selbst zerstört. Sie wird zu einem Vakuum inmitten des Naturelements des Wassers, leer, ohne menschliche Gesellschaft, ohne ästhetische, religiöse, ethische und praktische Werte. In dieses Vakuum schleppt Mahlke die Reliquien der abendländischen Gesellschaft in der Form seines Besitzes: Kunst und Religion in Form einer Reproduktion der Sixtinischen Madonna und der Marienmedaille, Literatur in Form seiner Bücher, Musik in Form seiner Schallplatten und des Grammophons, die zugleich Produkte der Technik sind — alles konservierte, aber tote abendländische Werte, so konserviert und tot wie Mahlkes Schmetterlingssammlung und seine ausgestopfte Schnee-Eule. In dieses Vakuum zieht Mahlke sich dann am Ende selber zurück. Mit seinem Verschwinden im Vakuum setzt die von dem Erzähler Pilenz so stark empfundene fürchterliche Stille ein. Der Grund zu dieser traurigen Entwicklung des abendländischen Geistes und der abendländischen Kultur liegt in der menschlichen Natur, die Mahlkes großer Adamsapfel versinnbildlicht.

DOKUMENTE ZUR WIRKUNGSGESCHICHTE

1. Die juristische Auseinandersetzung

Antrag, die Novelle „Katz und Maus“ in das Verzeichnis jugendgefährdender Schriften aufzunehmen (Schriftwechsel, Gutachten)

DER HESSISCHE MINISTER FÜR ARBEIT, VOLKSWOHLFAHRT UND GESUNDHEITSWESEN

Wiesbaden, den 28.9.1962
Adolfsallee 53 und 59
Tel.: 5811

Az.: V b / 52 n - 12 - 27

An die
Bundesprüfstelle für
jugendgefährdende Schriften
532 Bad Godesberg
Postfach 190

Betr.: Antrag auf Aufnahme in die Liste der jugendgefährdenden Schriften.

Hiermit wird beantragt, die Schrift *Katz und Maus* — Eine Novelle von Günter Grass, Hermann Luchterhand Verlag, gemäß § 1 Abs. 1 GjS in die Liste der jugendgefährdenden Schriften aufzunehmen. Ein Exemplar des Buches und 25 Abdrucke des Antrages sind beigefügt.

Begründung:
Die Schrift enthält zahlreiche Schilderungen von Obszönitäten, die geeignet sind, Kinder und Jugendliche sittlich zu gefährden. Auf die Seiten 28, 38, 39, 40, 41, 42, 43, 53, 54, 98, 102, 104, 112, 130, 139, 140 wird verwiesen. Die beanstandeten Passagen, die derartige bis ins einzelne gehende Szenen mit betonter Ausführlichkeit bringen, sind ohne jeden erkennbaren Sinn in die Erzählung eingestreut worden. Die Art und Weise dieser Darstellungen läßt den Schluß zu, daß sie nur des obszönen Reizes willen aufgenommen wurden.

Sie sind geeignet, die Phantasie jugendlicher Leser negativ zu belasten, sie zu sexuellen Handlungen zu animieren und damit die Erziehung zu beeinträchtigen.
Sie sind deshalb auch in keiner Weise mit der im Klappentext gedeuteten Absicht des Autors in Einklang zu bringen.
Der Inhalt der Erzählung hat das Leben und Treiben von Schülern einer Sekunda-Klasse während des 2. Weltkrieges in Danzig zum Gegenstand. Im Mittelpunkt steht der Held, oder richtiger gesagt, der von seinen Kameraden zum Idol erhobene „Große Mahlke", dessen besonders ausgeprägter Halsknorpel (Adamsapfel) als „Attribut frühreifer Männlichkeit . . . zur Ursache aller Taten des Jungen, zur Triebfeder für die ‚Karriere' . . . bis zum Erwerb einer hohen Kriegsauszeichung" wird. Die sich in diesem Rahmen abspielenden Schilderungen von einzelnen mehr oder weniger banalen Begebenheiten, die im übrigen ausschließlich negative Erscheinungen aufweisen, verdienen weder vom Stil noch vom Stoff her ein besonderes literarisches Interesse. Wenn auch vielleicht dem Autor eine gewisse Fähigkeit und eine eigene Art des Schreibens nicht abzusprechen ist, kann sein Buch aber unter keinem Gesichtspunkt als der Kunst dienend im Sinne des § 1 Abs. 2 Nr. 2 GjS bewertet werden.
Der Band ist Jugendlichen gleichermaßen zugängig wie jedes andere Buch. Darüber hinaus ist, da es sich um eine „Schülergeschichte" handelt, zu befürchten, daß es gerade unter Jugendlichen zu einer verstärkten Verbreitung führt.

Im Auftrag:
gez. Dr. Englert

HERMANN LUCHTERHAND VERLAG GMBH

Neuwied, den 19. November 1962
Dr. R./Wg.

An den Vorsitzenden
der Bundesprüfstelle
für jugendgefährdende Schriften
532 Bad Godesberg
Michaelstraße 8

Betr.: Günter Grass, *Katz und Maus* — Eine Novelle
Ihr Aktenzeichen: Pr. 255/62

Über das genannte Buch soll am 7.12.1962 verhandelt werden. Wir bitten, diesen Termin um mindestens 2 Monate zu vertagen.
Gründe:
Wir werden beantragen, das Buch von Grass nicht auf die Liste jugendgefährdender Schriften zu setzen. Wir werden darlegen, daß dieses Werk gemäß § 1 der GjS der Kunst und der Wissenschaft dient.
Unsere Stellungnahme soll sich auf Gutachten von Fachleuten stützen. Wir haben deshalb von Wissenschaftlern, Schriftstellern und Akademien, die durch Rang, Leistung und Auftrag zu überparteilicher Stellungnahme befähigt sind, Gutachten angefordert.
Diese können aber wegen der knappen Zeit bis zum Termin nicht rechtzeitig genug vorliegen, geschweige denn von uns in einem allen Beteiligten des Verfahrens zugängig zu machenden Schriftsatz ausgewertet werden.
Wir hoffen, daß unserer Bitte entsprochen wird, weil die Entscheidung für den literarischen Bereich außergewöhnliche Konsequenzen haben muß und deshalb die sorgfältige Vorbereitung Pflicht aller Beteiligten ist. Auch würde für uns sonst das „rechtliche Gehör" nicht gewährleistet sein.

Mit vorzüglicher Hochachtung
Hermann Luchterhand Verlag GmbH
gez. Reifferscheid
Justitiar

(Es wurden Gutachten vorgelegt der Professoren Jens und Martini, des Schriftstellers Hans Magnus Enzensberger, des Psychologen Dr. Ottinger sowie des Prädidenten der Deutschen Akademie für Sprache und Dichtung, Dr. Kasimir Edschmid. Alle diese Gutachten sprachen sich für Grass' Novelle „Katz und Maus" aus. Edschmid z.B. stellte fest: „Das Buch ist ein vorzügliches Kunstwerk, glänzend aufgebaut in der Konzeption und in der Ausarbeitung des Thematischen. Es ist ohne Zweifel einer der merkwürdigsten Zeitromane. . .“)

BUNDESPRÜFSTELLE
FÜR JUGENDGEFÄHRDENDE SCHRIFTEN
Der Vorsitzende

532 Bad Godesberg
den 30. November 1962
I/Rö-

Gesch.-Z.: Pr. 255/62

An die Firma Hermann Luchterhand Verlag GmbH
545 Neuwied
Postfach 369

Betr.: Druckschrift *Katz und Maus* von Günter Grass
Bezug: Antrag des Hessischen Ministers für Arbeit, Volkswohlfahrt und Gesundheitswesen v. 28.9.1962-Vb/52n/12/27-

Der Hessische Minister für Arbeit, Volkswohlfahrt und Gesundheitswesen hat mit Schreiben vom 28. November 1962 — StS — den Antrag zurückgezogen. Ich habe das Verfahren eingestellt.

Mit vorzüglicher Hochachtung
Schilling
Oberregierungsrat

2. DREI ANGRIFFE UND EINE VERTEIDIGUNG DES AUTORS

1. Günter Grass — ein Danziger Schriftsteller?

(Theodor Wallerand, Günter Grass — ein Danziger Schriftsteller? Unter Danzig, Lübeck 1962/Nr. 3.)

„Grass kennt sein Danzig wie kein zweiter“. Ein so oberflächliches Urteil wird im heutigen Westdeutschland widerspruchslos hingenommen. Was kennt Grass aber wirklich von Danzig? Er hat es etwa bis zu seinem 17. Lebensjahr erlebt, in der Hauptsache, wie seine Erzählungen es zeigen, den Heeresanger und dessen Umgebung, aber das eigentliche, das wirkliche Danzig mit seiner reichen Architektur, seiner Stein gewordenen Geschichte hat er nicht erlebt, weil er noch zu jung und unfrei war und sich auf Grund seines Wohnsitzes zu wenig darin bewegte. In der Bundesrepublik aber ruft er den Eindruck hervor: Seht, so war Danzig! Es war doch im Grunde eine miese Stadt, vor allem eine Stadt mit stark kaschubischem oder polnischem Einschlag. Auffallend ist seine liebevolle Bevorzugung alles Polnischen. Er hat erst nach dem Kriege zweimal die Stadt — er vergißt nicht, sie Gdansk zu nennen! — und die deutschen Ostgebiete — für ihn sind es die „sogenannten“ — besucht . . .
Zügellos schweift seine Phantasie umher, zügellos ist er im Erfinden nicht existenter Personen und Tatsachen, die anscheinend den realen entsprechen sollen. Zügellos ist Grass vor allem in den überreichlichen Beschreibungen des Unsauberen. Sein nicht zu leugnendes Talent in drastischer Ausdrucksweise feiert hier seine Triumphe. Es ist, als ob Grass sich mit besonderer Liebe bei obszönen Szenen aufhält. Was er sich auf diesem Gebiet leistet, ist derart einmalig, daß man sich betroffen fragt, wie sich überhaupt Verlage bereitfinden können, so etwas zu drucken. Denn hier werden nicht Jugendsünden angedeutet, wie sie überall vorkommen, sondern es werden unablässig Orgien gefeiert und in säuischer Weise beschrieben. . .
Zynismus plagt Grass an allen Ecken und Enden. So zieht er in zynischer Weise bei jeder passenden und unpassenden Gelegenheit auch über den Katholizismus her, der ihm wohl — ebenso wie die Schule — sehr unbequem gewesen sein muß. . .

2. Grass trommelt Blech

(Willi Dillmann, Nun trommeln sie wieder Blech, Neue Bildpost 1962, Nr. 22.)

Günter Grass schrieb ein neues Buch unter dem Titel „Katz und Maus“. Dieses Buch ist eine sittliche Gefährdung der Jugend, eine öffentliche Herabwürdigung der katholischen Kirche und eine niederträchtige Verhöhnung deutscher Tapferkeitsauszeichnungen. Wir können und wollen nicht die Gefühle der Leser für Anstand verletzen. Wir müssen auf gewisse Zitate verzichten. Das Buch verstößt nach unserer Überzeugung seitenlang gegen das Jugendschutzgesetz. Es fordert bei Überprüfung den § 184 des Strafgesetzbuches (Verbreitungen unzüchtiger Schriften) heraus. Ebenso den § 166 (Herabsetzung kirchlicher Handlungen).
Hier eine kleine Kostprobe: Hauptfigur im Roman „Katz und Maus“ ist ein katholischer Gymnasiast, Joachim Mahlke. Er hat einen großen Adamsapfel, den zu verdecken er gewisse „Halsschmerzen“ bekommt. Der Autor läßt ihn zunächst ein Ritterkreuz stehlen. Für Grass ist „das Ding am Hals“ seines katholischen Gymnasiasten Mahlke „jener eiserne Artikel, der unter dem großen Adamsapfel lebt, wo er die Hostie schluckt“.
Held Mahlke trägt das gestohlene Ritterkreuz bei Gelegenheit auch dort, wo die Neger ihren Lendenschurz anlegen. Seitenlang enthält das Buch ekelerregende Schilderungen. Man erhält den Eindruck, daß kein Wunsch, auch des „verderbtesten Pornographen“, unerfüllt blieb.
Beim schamlosen sexuellen Treiben von Buben ist auch, gleichsam zur Abrundung, eine gleichaltrige Mädchenhure beteiligt. Mahlke erwirbt später im Ablauf der Handlung durch viele Panzerabschüsse das Ritterkreuz.
Der Held scheint von einer Leidenschaft zur Jungfrau Maria erfaßt zu sein, die Hochwürden („. . . der sollte . . . auch Altartücher verschoben haben“) bedenklich stimmt. Um jeden Zweifel zu beseitigen, wird dem Priester attestiert, daß er zu verdächtigen Griffen an die Körper von Halbwüchsigen neige.
Man mag sich seinen Teil denken, wenn Mahlke als Soldat und Ritterkreuzträger nach Empfang der hl. Kommunion erklärt:
„Natürlich glaub ich nicht an Gott. Der übliche Schwindel, das Volk zu verdummen. Die einzige, an die ich glaube, ist die Jungfrau Maria. Deshalb werde ich auch nicht heiraten.“
Zu unerhörter Gotteslästerung aber wird das Machwerk von Grass,

wenn er seinem Unteroffizier Mahlke mit „dem Ding am Hals" das Abschießen einer Reihe von russischen Panzern ausdrücklich der Führung durch die Jungfrau unterstellt.
Es heißt: „Sie (die hl. Jungfrau) bewegt sich von links gegen das Waldstück in Marschgeschwindigkeit 35. Mußte nur draufhalten, draufhalten, drauf." Diese „feinkonstruierende Sprachtechnik" von Günter Grass, sein offener und versteckter Gassenton nennen wir in diesem Zusammenhang „Ferkeleien".
Es geht uns um Sauberkeit und Anstand, im geistigen Leben Deutschlands. Bücher vom Schlage „Katz und Maus" bringen uns bei allen anständigen Literaturfreunden der Welt Schande.

3. Nur mit der Zange anzufassen:

(In: Gert Loschütz, Von Buch zu Buch — Günter Grass in der Kritik. Neuwied 1968. Aus der Zeitschrift „Das Ritterkreuz", Wiesbaden, April 1962.)

Mittelpunkt der Erzählung bildet eine der höchsten deutschen Tapferkeitsauszeichnungen des letzten Krieges, das Ritterkreuz, und Held der Handlung ist der heranwachsende Pennäler Mahlke, von Grass als der „Große Mahlke" tituliert. Ort und Zeit der Geschehnisse sind Danzig und die ersten Jahre des Zweiten Weltkrieges, wie sie diese Stadt erlebte.
Der Autor ist nicht arm an obstrusen und obszönen Einfällen. So schildert er u. a. wie sein Held einem Marineoffizier, der nach einem Vortrag vor seinem alten Gymnasium an der Turnstunde einer Oberklasse teilnimmt, im Umkleideraum das Ritterkreuz stiehlt, wie sich der „große" Dieb den Orden beim Baden vor jenen Körperteil hält, der von der Badehose bedeckt wird — doch der Held trug keine Badehose! Der „Dichter" erzählt ferner, in allen Einzelheiten, wie Schuljungen, von einer halbwüchsigen Göre angefeuert, um die Wette onanieren; wie dieses halbwüchsige Volk voll Genuß Mövenmist zerkaut und wie sein Held im Arbeitsdienst mit der Frau seines Oberfeldmeisters am laufenden Band Ehebruch betreibt.

Das sind nur einige wenige „Kostproben" der Grass'schen Pornographie, die dem Leser zugemutet wird. Schamgefühl, moralische Hemmungen, Scheu oder dem ähnliche Regungen scheint dieser Stern am deutschen Literatenhimmel in seinen Erzählungen nicht zu kennen. Dies offenbart sich auch in seiner Art, über Dinge der Religion und des Glaubens zu sprechen.
Und solche Scham- und Rücksichtslosigkeit läßt Grass auch dort erkennen, wo sich die Handlung unmittelbar um das Ritterkreuz bewegt, das für ihn — wörtlich zitiert — „unaussprechlich" ist. Darum wählt er dafür auch die respektlosesten Ausdrücke: Er spricht vom „besonderen Artikel", vom „verdammten Bonbon", vom „Dingslamdei", vom „Ding Ding Ding" und besudelt den Orden mit Umschreibungen wie „Gegenteil einer Zwiebel", „galvanisierter Vierklee", „des alten Schinkel Ausgeburt", „das Unaussprechliche" u.a.m. Es ist widerlich, solchen Ausfluß krankhafter Phantasie lesen zu müssen.
Mag es den Leser erst verwundern, daß der Held der Erzählung später als Soldat an der Ostfront mit dem von Grass so sehr geschmähten Orden ausgezeichnet wurde, so wird ihm bald klar, warum Mahlke den Orden selbst besitzen mußte: Am Schluß wird der jugendliche Ritterkreuzträger aus Feigheit — was offenbar ehrenvoll ist — fahnenflüchtig und versteckt sich auf einem alten, auf Grund liegenden polnischen Minensuchboot, das, 1939 versenkt, einst Mahlke und seinen halbwüchsigen Kumpanen als Schauplatz für ihre Tauchübungen und für ihre Schweinereien gedient hatte.
Grass, der von gewissen Literaturkritikern als „erzählerische Kraftnatur" gepriesen wird, ist dafür bekannt, daß er vor keiner Unappetitlichkeit und vor keiner Obszönität zurückschreckt. Der „Dichter" hat sich zweifellos zu einem „Meister der Pornographie" entwickelt, von dem man nicht behaupten kann, er ziehe den Leser „nach oben", wie dies Dichter sonst zu tun pflegen.
Vielmehr konfrontiert er ihn rücksichts- und hemmungslos mit Dingen, die man landläufig als schamlose Schweinereien bezeichnet. Solange aber Grass solche Obszönitäten mit einer Diskriminierung des Soldatischen verkoppelt, scheint ihm der Ruhm unserer Zeit sicher zu sein. Wohl in keinem anderen Lande ist ein Tapferkeitsor-

den so tief in den Schmutz gezogen worden wie in diesem Buch, das verdient, mit der Zange angefaßt zu werden.

4. Günter Grass verteidigt sich

(Günter Grass, Nicht nur in eigener Sache. Münchner Merkur, 24. Oktober 1968.)

In meinen drei Prosawerken — „Die Blechtrommel", „Katz und Maus", „Hundejahre" — war ich bemüht, die Wirklichkeit einer ganzen Epoche mit ihren Widersprüchen und Absurditäten in ihrer kleinbürgerlichen Enge und mit ihren überdimensionalen Verbrechen in literarischer Form darzustellen. Die Realität, als das Rohmaterial des Schriftstellers, läßt sich nicht teilen; nur wer sie ganz einfängt und ihre Schattenseiten nicht ausspart, verdient es, Schriftsteller genannt zu werden.

So selbstverständlich es ist, es sei dennoch wiederholt: Auch der sexuelle Bereich mit seinen Höhepunkten und Tiefgängen, desgleichen in seiner abgenutzten Alltäglichkeit, ist ein Teil dieser Realität. Desgleichen gehört das Verhältnis der Zeitgenossen zu den Religionen und zu den herrschenden wie unterdrückten Ideologien zur darzustellenden Wirklichkeit.

In dem von mir skizzierten breiten, epischen Muster und verständlich aus der Rolle und Rollenprosa der fiktiven Figuren erklärt sich das sexuelle Verhalten sowie die Haßliebe des Oskar Matzerath zur katholischen Kirche.

Es ist allgemein bekannt, daß sich der Katholizismus in Polen, ähnlich wie in anderen vorwiegend katholischen Ländern, Reste heidnischer Ursprünglichkeit bewahrt hat; daß zum Beispiel der Marienkult das Verhältnis zu Jesus Christus und zur Bergpredigt weit überragt. Dem Autor kam es darauf an, diese spielfreudige, farbenprächtige, halb heidnische, halb christliche Welt darzustellen und in Beziehung zu setzen zur Epoche des Nationalsozialismus.

Zudem wird ein erzählender Schriftsteller, der seine erzählte Welt örtlich genau bestimmt (alle drei Bücher handeln in Danzig und beziehen das westpreußische, teils deutsche, teils polnische, teils ka-

schubische Hinterland mit ein) den örtlichen Gegebenheiten Rechnung tragen.
Es bleibt erstaunlich, daß immer wieder darauf hingewiesen werden muß, inwieweit die Position des Lästerers im Alten wie Neuen Testament verankert ist. Ich erinnere an den einen Schächer am Kreuz; durch seine Gegenposition erst wird die Position des anderen Schächers deutlich.

DIE VERLEIHUNG DES RITTERKREUZES

(Aus: Werner Otto Hütte, Die Geschichte des Eisernen Kreuzes und seine Bedeutung für das preußische und deutsche Auszeichnungswesen von 1813 bis zur Gegenwart. Bonn 1968.)

Das Verleihungsverfahren des Ritterkreuzes unterschied sich kaum von den Verleihungsrichtlinien des Eisernen Kreuzes, jedoch entsprach es dem Niveau des Ritterkreuzes, wenn Hitler als „Führer" und Oberster Befehlshaber der Wehrmacht im einzelnen über die Vorschläge der Wehrmachtteile entschied. Während das Eiserne Kreuz erster und zweiter Klasse im Namen des „Führers" von den mit der Verleihung beauftragten Dienststellen ausgegeben wurde, verlieh der „Führer" und Oberste Befehlshaber der Wehrmacht im Namen des Deutschen Volkes das Ritterkreuz zum Eisernen Kreuz.
Die hohe Auszeichnung wurde ausschließlich für hervorragende Tapferkeit und weit überdurchschnittliche Verdienste in der Truppenführung verliehen. Überragende Tapferkeit bedeutete eine kampfentscheidende Leistung, die sich durch selbständigen Entschluß und außergewöhnlichen Erfolg charakterisierte. Grundlage für die Erringung der Auszeichnung im Rahmen der Truppen- und Kampfführung war der militärische Erfolg, der sich in entscheidender Weise auf eine übergeordnete Einheit auswirken mußte.
Eine ihrer niederen bzw. mittleren Dienststellungen angemessene Sonderregelung war für Soldaten vom Schützen bis Kompanieführer erlassen. Bei den Verleihungsvorschlägen zum Ritterkreuz war ihr Dienstgrad und ihre Dienststellung insofern zu berücksichtigen,

als auch Einzelhandlungen von bedeutendem örtlichen Erfolg als Vorteil für das Ganze gewertet und durch Verleihung des Ritterkreuzes anerkannt werden konnten. Bei der Auswahl der zum Ritterkreuz Vorgeschlagenen war nur die Leistung, nicht der Rang in der militärischen Hierarchie zu berücksichtigen. Dabei mußten Offiziere höheren Leistungen gerecht werden als Unteroffiziere, und diesen wurde mehr abverlangt als Mannschaften.
War der zum Ritterkreuz Vorgeschlagene noch nicht im Besitz des Eisernen Kreuzes erster und zweiter Klasse, so wurden gleichzeitig mit dem Ritterkreuz die beiden unteren Stufen verliehen. Der Ausgezeichnete erhielt zum Ritterkreuz ein provisorisches Besitzzeugnis, da die in eine Ledermappe gebundene aus Pergament bestehende Besitzurkunde infolge ihres Umfanges zur Verschickung an die Front nicht geeignet war; die Besitzurkunde, die der „Führer" persönlich unterzeichnet hatte, wurde den Angehörigen des Ausgezeichneten zugeschickt.
Mit dem Besitz des Ritterkreuzes waren für den Inhaber gewisse Privilegien verbunden. So wurde ihm unter anderem die Benutzung der Schnell- und Eilzüge gestattet. Allen Trägern des Ritterkreuzes hatten die militärischen Posten mit (ungeladenem) Gewehr die Ehrenbezeigung durch Stillstehen mit präsentiertem Gewehr zu erweisen. Daneben konnten in besonderen Fällen Beförderungen ausgesprochen werden, die in erster Linie Offiziere vom Range eines Leutnants bis einschließlich Hauptmann betrafen, jedoch auch Mannschaften und Unteroffiziere nicht unberücksichtigt ließen. Zu diesen auf den militärischen Bereich beschränkten Vorrechten erließ das Oberkommando der Wehrmacht am 27. Juli 1941 eine Verfügung über die Betreuung der Ritterkreuzträger und ihrer Hinterbliebenen. Darin heißt es, „die im Namen des Volkes erfolgte Auszeichnung verpflichtet die Nation zur Dankbarkeit gegenüber den Inhabern des Ritterkreuzes des Eisernen Kreuzes 1939 (Ritterkreuzträger)." In diesem Sinne wurden Maßnahmen mit der Absicht erlassen, wirtschaftliche Notlagen zu verhindern, zu beseitigen und zu mildern. So unterstützten die Wehrmachtfürsorge- und Versorgungsämter „in angemessenen Grenzen" die durch eine Umschulung bedingten finanziellen Belastungen. Über

die Gewährung eines Ehrensoldes nach dem Vorbild einiger früherer Militärorden sollte nach Kriegsende entschieden werden.
Beim Tode eines Ritterkreuzträgers mußte gemäß Heeresdienstvorschrift 131 Ziffer 352 c eine Trauerparade gestellt werden, falls nicht ein Staatsbegräbnis angeordnet wurde. Ferner war die Todesnachricht unter Würdigung der Persönlichkeit durch die allgemeine und Wehrmachtpresse sowie den Rundfunk der Öffentlichkeit bekannt zu machen. Für Beerdigung, Ausstattung und Pflege einer würdigen Grabstätte übernahm die Wehrmacht die entstehenden Kosten. Der „Führer" beanspruchte für sich das Entscheidungsrecht, ob beim Tode eines Trägers des Ritterkreuzes in seinem Auftrag ein Kranz niederzulegen war.
Zuzüglich zu diesen Vorrechten, die sich auf den Bereich der wirtschaftlichen Unterstützung und der Ehrungen vor und nach dem Tode bezogen, erfreuten sich Inhaber des Ritterkreuzes eines Privilegs, das ihnen bezüglich der Bekleidungsvorschrift eine nicht unerhebliche Sonderstellung einräumte. Offizieren, Unteroffizieren und Mannschaften stand das Recht zu, die beiden oberen Knöpfe ihres Mantels offen zu lassen, um das Ritterkreuz sichtbar zu tragen. Besaß der Träger des Ritterkreuzes noch einen anderen Halsorden, beispielsweise den Pour le Mérite des Ersten Weltkrieges, so war nach einer Verfügung des Oberkommandos der Wehrmacht vom 24. Juni 1940 „das Ritterkreuz des Eisernen Kreuzes über dem Pour le Mérite und sonstigen Halsorden zu tragen."
Die erste Ergänzung des Ritterkreuzes datierte vom 3. Juni 1940. Für die Verleihung des Eichenlaubes, der Schwerter zum Eichenlaub und der Brillanten zum Eichenlaub mit Schwertern, deren Stiftung am 28. September 1941 erfolgte, waren folgende Richtlinien verbindlich: als Grundlage für die Verleihung des Eichenlaubes dienten mehrmalige überragende Tapferkeitstaten oder eine außergewöhnliche Führungsleistung im Rahmen der Dienststellung und des Dienstgrades. Als Maßstab wurde im allgemeinen eine solche Tat angesehen, die abermals durch die Verleihung des Ritterkreuzes ausgezeichnet worden wäre. Die Auszeichnung mit den Schwertern setzte den Besitz des Eichenlaubes voraus; sie erfolgte bei wiederholtem und gesteigertem Verdienst.

Die dritte Verordnung zur Änderung der Verordnung über die Erneuerung des Eisernen Kreuzes wurde am 29. Dezember 1944 erlassen und am 22. Januar 1945 veröffentlicht. Nach dem Willen des Stifters sollte das Ritterkreuz des Eisernen Kreuzes mit dem Goldenen Eichenlaub mit Schwertern und Brillanten „nur zwölfmal verliehen werden, um höchst bewährte Einzelkämpfer, die mit allen Stufen des Ritterkreuzes des Eisernen Kreuzes ausgezeichnet sind, vor dem Deutschen Volk besonders zu ehren."

EINORDNUNG DER NOVELLE „KATZ UND MAUS" IN GRASS' EPISCHES GESAMTWERK

(Zeittafel)

Die Blechtrommel. Roman. Erscheinungsjahr 1959.

Katz und Maus. Eine Novelle. Erscheinungsjahr 1961.

Hundejahre. Roman. Erscheinungsjahr 1974.

Zusammenfassung dieser drei Werke unter dem Titel „Danziger Trilogie 1-3". Der Zusammenhang ist durch den gemeinsamen Schauplatz Danzig, dem Geburtsort von Günter Grass, das Personal und den zeitlichen Hintergrund gegeben.

Örtlich betäubt. Roman. Erscheinungsjahr 1969.

Aus dem Tagebuch einer Schnecke. Aufzeichnungen. Erscheinungsjahr 1974.

Der Butt. Roman. Erscheinungsjahr 1977.

Das Treffen in Telgte. Erzählung. Erscheinungsjahr 1978.

Kopfgeburten oder Die Deutschen sterben aus. Aufzeichnungen. Erscheinungsjahr 1979.

Die Rättin. Roman. Erscheinungsjahr 1986.

Günter Grass
Werkausgabe in zehn Bänden
Herausgegeben von Volker Neuhaus
Darmstadt / Neuwied 1987

Band 1 Gedichte und Kurzprosa
Band 2 Die Blechtrommel
Band 3 Katz und Maus / Hundejahre
Band 4 Örtlich betäubt / Aus dem Tagebuch einer Schnecke
Band 5 Der Butt
Band 6 Das Treffen in Telgte / Kopfgeburten oder Die Deutschen sterben aus
Band 7 Die Rättin
Band 8 Theaterspiele
Band 9 Essays, Reden, Briefe, Kommentare
Band 10 Gespräche mit Günter Grass

LITERATURNACHWEIS

Baumgart, Reinhard, Günter Grass, Katz und Maus, Neue Deutsche Hefte, Berlin Januar 1962

Dahne, Gerhard, Wer ist Katz und wer ist Maus?, Neue Deutsche Literatur, November 1965

Ell, Ernst, Die Jugendlichen in der seelischen Pubertät, Freiburg i. Brsg. 1963

Karasek, Hellmuth, Der Knorpel am Hals, Stuttgarter Zeitung, 11.11.1969

Lucke, Hans, Günter Grass' Novelle „Katz und Maus" im Unterricht, Der Deutschunterricht, Stuttgart 1969/2

Ottinger, Emil, Denn was mit Katz und Maus begann, quält mich heute, Eckart Jahrbuch, Witten 1964

Reich-Ranicki, Marcel, Die Geschichte des Ritterkreuzträgers, Die Zeit, 10.11.1961

Schwarz, Wilhelm Johannes, Der Erzähler Günter Grass, Bern 1969

Segebrecht, Dietrich, Günter Grass, Katz und Maus, Bücherei und Bildung 1962/2

Söntgerath, Alfred, Das Kind in der Literatur des 20. Jahrhunderts, (Pädagogik und Dichtung), Stuttgart 1967

Tiesler, Ingrid, Günter Grass, Katz und Maus, München 1971

Wallraff, Karlheinz, Umstrittene Bücher: Günter Grass, Katz und Maus, Bücherei und Bildung 1962/4

Zimmermann, Werner, Deutsche Prosadichtungen unseres Jahrhunderts, Band 2. darin: Günter Grass, Katz und Maus, Düsseldorf 1969

Nachtrag I 1988

Behrendt, Johanna E., Die Ausweglosigkeit der menschlichen Natur. Eine Interpretation von Günter Grass' „Katz und Maus". In: Zeitschrift für deutsche Philologie, 1968, S. 546 ff.

Cepl-Kaufmann, Gertrude, Günter Grass. Eine Analyse des Gesamtwerkes unter dem Aspekt von Literatur und Politik. Kronberg/Ts. 1975.
Dillmann, Willi, Nun trommeln sie wieder Blech. Neue Bildpost 1965, Nr. 22, S. 2.
Durzak, Manfred, Der deutsche Roman der Gegenwart, Stuttgart 1971, S. 129 ff.
Hütte, Werner Otto, Die Geschichte des Eisernen Kreuzes, Bonn 1968.
Karthaus, Ulrich, „Katz und Maus" von Günter Grass — eine politische Dichtung. In: Der Deutschunterricht, Stuttgart 1971, Heft 1, S. 74 ff.
Loschütz, Gert, Von Buch zu Buch — Günter Grass in der Kritik. Eine Dokumentation. Neuwied 1968.
Neuhaus, Volker, Günter Grass, Sammlung Metzler Band 179, Stuttgart 1979.
Reddick, John, Eine epische Trilogie des Leidens? „Die Blechtrommel", „Katz und Maus", „Hundejahre". In: Heinz Ludwig Arnold (Hrsg.), Text und Kritik Heft 1/1a, München 1978.
Ritter, Alexander, Günter Grass, Katz und Maus. Erläuterungen und Dokumente, Stuttgart 1978.
Wallerand, Theodor, Günter Grass — ein Danziger Schriftsteller? Unser Danzig, Lübeck 1962, Nr. 3.

Nachtrag II 1993

Brode, Hanspeter: Die Zeitgeschichte im erzählenden Werk von Günter Grass. Versuch einer Deutung der „Danziger Trilogie". Frankfurt/Bern 1977
Brode, Hanspeter: Günter Grass. Autorenbücher 17. München 1979
Durzak, Manfred (Hrsg.): Geschichte auf dem poetischen Prüfstand. Zu Günter Grass. Stuttgart 1985
Geissler, Rolf (Hrsg.): Günter Grass. Materialienbuch. Neuwied 1976
Gerstenberg, Renate: Zur Erzähltechnik von Günter Grass. Heidelberg 1980

Hasselbach, Ingrid: Günter Grass, Katz und Maus. Interpretationen mit Unterrichtshilfen. München 1990
Jürgensen, Manfred (Hrsg.): Grass. Kritik, Thesen, Analysen. München 1973
Kaiser, Gerhard: Günter Grass, Katz und Maus. München 1971
Maier, W.: Moderne Novelle. Günter Grass, Katz und Maus. Sprache im technischen Zeitalter 1, 1961
Müller-Schwefe, H.-R.: Sprachgrenzen. Das sogenannte Obszöne, Blasphemische und Revolutionäre bei Günter Grass und Heinrich Böll. München 1978
Neuhaus, Volker (Hrsg.): Die Danziger Trilogie von Günter Grass. Texte, Daten, Bilder. Frankfurt a. M. 1991
Richter, F.-R.: Günter Grass. Die Vergangenheitsbewältigung in der Danzig-Trilogie, Bonn 1979
Schroeder, Susanne: Erzählfiguren und Erzählperspektive in Günter Grass' „Danziger Trilogie". Frankfurt 1986
Tank, Kurt Lothar: Günter Grass. Berlin 1974
Vormweg, Heinrich: Günter Grass, Reinbek 1985. (rowohlts Monographien 395).
Wolff, Rudolf (Hrsg.): Günter Grass. Werk und Wirkung. Bonn 1985
Günter-Grass-Bibliographie, München 1988

Das Konzept der Reihe:

Die Regelbücher:
Die Inhaltsverzeichnisse sind sehr übersichtlich und klar gegliedert. Beschränkung auf das Wesentliche und Wichtige. Verständlichkeit durch Verwendung nicht nur lateinischer, sondern auch deutscher Begriffe (z.B. Hauptwort, Wie-Wort, Tu-Wort), daher (fast) ohne Vorwissen begreifbar. Systematische und verständliche Darstellung der Regeln durch einfache Sprache und klare Gliederung der einzelnen Kapitel in: "Regel (bzw. Definition)", "Beispiele und Erläuterungen", "Hinweise". Bei besonderen Schwierigkeiten Wortlisten zum Einprägen. Bilderrätsel zur Auflockerung und Überprüfung des Wissens (mit Auflösungen im Anhang). Tabellen für den Überblick. Leerseiten für Notizen. Ausführliches Register.

Die Übungsbücher:
Die Übungsbücher sind nach Sachgebieten gegliedert und so aufgebaut, daß Selbstlerner dank eines entsprechenden Buchumschlags die Lösungen abdecken und sich nach Beantwortung der Fragen selbst überprüfen können. Da auf der jeweils linken Buchseite die Fragen noch einmal - natürlich mit Antworten - abgedruckt sind, können Lehrer, Nachhilfelehrer und natürlich auch Eltern das Wissen (ohne selber den Stoff beherrschen zu müssen!) problemlos abfragen. Kurzum: Die Übungsbücher sind für Selbstlerner geschrieben, ideal aber auch für Lehrer und Eltern zum Abfragen!

Der Aufbau der Reihe:

ABC DEUTSCH: GRAMMATIK

Band 1: Regeln - Beispiele - Erläuterungen
124 Seiten - DIN A5
Best.-Nr. 0491-X

Band 2: Übungen mit Lösungen zur deutschen Grammatik.
120 Seiten - DIN A4
Best.-Nr. 0492-8

ABC DEUTSCH: RECHTSCHREIBUNG

Band 1: Regeln - Beispiele - Erläuterungen
ca. 110 Seiten - DIN A5
Best.-Nr. 0493-6

Band 2: Übungen mit Lösungen zur Rechtschreibung.
ca. 100 Seiten - DIN A4
Best.-Nr. 0494-4

ABC DEUTSCH: ZEICHENSETZUNG

Band 1: Regeln - Beispiele - Erläuterungen
ca. 112 Seiten - DIN A5
Best.-Nr. 0495-2

Band 2: Übungen mit Lösungen zur Zeichensetzung.
ca. 120 Seiten - DIN A4
Best.-Nr. 0496-0